Sibylle Luise Binder
geboren 1960 in Stuttgart, lebt als freie Journalistin und Autorin in ihrer Heimatstadt. Nach einigen Pferdesachbüchern hat sie 1998 ihren ersten Kriminalroman veröffentlicht, weitere Romane folgten.

Sibylle Luise Binder

Traumjobs

Susan, 16

Fernsehstar

Die Deutsche Bibliothek – CIP-Einheitsaufnahme

Binder, Sibylle Luise:
Susan, 16, Fernsehstar / Sibylle Luise Binder. –
München : Egmont Schneider, 1999
(Traumjobs)
ISBN 3-505-10948-7

Dieses Buch wurde auf chlorfreies,
umweltfreundlich hergestelltes
Papier gedruckt. Es entspricht den
neuen Rechtschreibregeln.

Der Schneider Verlag im Internet:
http://www.schneiderbuch.de

Schleißheimer Straße 267, 80809 München

Titelfoto: COMSTOCK, Berlin
Umschlaggestaltung: Christine Esmyol, München
Herstellung: Brigitte Matschl
Satz: FIBO Lichtsatz GmbH, Unterhaching
Schrift: 11˙ Walbaum Standard
Druck: Presse-Druck, Augsburg
Bindung: Conzella Urban Meister, München-Dornach
ISBN 3-505-10948-7

99 00 / 8 7 6 5 4 3 2 1

Susan Bernardin lehnte ihr Fahrrad gegen die Garagenmauer, angelte ihre Schultasche vom Gepäckträger und schlenderte den Gartenweg entlang. Nein, sie würde nicht ins Haus rennen und sich auf die Post stürzen, die üblicherweise auf dem kleinen Regal im Flur lag. Nein, heute nicht – ihr reichte es noch von gestern!

„Wartest du auf einen Liebesbrief oder glaubst du tatsächlich noch, du hast bei den Probeaufnahmen fürs Fernsehen einen Volltreffer gelandet?", hatte ihr am Treppenabsatz herumlümmelnder Bruder Flups hämisch gefragt. Susan hatte sich wieder einmal bemüht ihn zu ignorieren, aber wenn ihr kleiner Bruder sich erst einmal vorgenommen hatte sie zu nerven, gab er so schnell nicht auf. „Wahrscheinlich reparieren die im Studio jetzt noch an ihren Kameras rum. So eine strahlende Erscheinung wie du – das trübt die beste Linse ein!"

„Du bist doof." Susan hatte sich wieder einmal für eine knappe, aber dennoch deutliche Aussage entschieden und sich dabei gleich geärgert: Himmel, wieso ließ sie Flups auch immer merken, dass seine dummen Sprüche ihr an die Nieren gingen?

Sie hatte sich so sehr gefreut, als sie vor einem Monat als Gewinnerin des Talentwettbewerbs zu

Probeaufnahmen bei der Fernsehserie „Gute und schlechte Tage“ eingeladen worden war. Und nach dem aufregenden Tag im Fernsehstudio war sie so fest überzeugt gewesen, dass sie es geschafft hatte – das, wovon sie schon seit Jahren träumte: in einer Fernsehserie mitzuspielen. Und dann auch noch bei „Gute und schlechte Tage“, ihrer Lieblingsserie!

Die ersten Tage nach den Probeaufnahmen war Susan sicher gewesen: Es hatte geklappt. Es musste einfach geklappt haben! Die Leute im Studio waren so freundlich gewesen, der Chefproduzent hatte sie gelobt und gesagt, sie sei nicht nur außerordentlich fotogen, sondern offensichtlich auch talentiert. Und der Regisseur hatte ihr zum Abschied die Hand gegeben und Auf Wiedersehen gesagt ... wenn das nichts zu bedeuten hatte!

Normalerweise, wenn Susan aus der Schule kam, eilte sie erst einmal in die Küche um zu sehen, was Haushaltshilfe Alyssa zusammengebrutzelt hatte. Doch in den letzten vier Wochen galt ihr erster Blick der Post, immer in der Hoffnung, es möge endlich, endlich ein möglichst dicker Brief mit dem rotgelben Signet der Filmproduktionsfirma darunter auftauchen. Doch bisher hatte sich nichts getan – außer, dass Flups aufmerksam geworden war und sie täglich damit durch den Kakao zog.

Wahrscheinlich hat Flups Recht und ich bin wirklich bloß eine eingebildete Kuh, dachte Susan traurig. Immerhin würden in vier Wochen die Schulferien anfangen – die Zeit, in der sie im Fernsehstudio hatte sein wollen. Und sie hatte immer noch kein Wort gehört! Langsam wäre ihr selbst eine freundliche Absage lieber als das ständige Warten.

Susan ließ ihre Tasche in die Ecke unter der Garderobe fallen. Sie streifte die Schuhe ab und marschierte mit hoch erhobenem Kinn, den Stapel von Briefen auf dem Regal ignorierend, an ihrem wie immer auf dem Treppenabsatz sitzenden kleinen Bruder vorbei Richtung Küche. Von dort roch es nach Steaks und Zwiebeln. „Hmmm", machte Susan zufrieden – Steaks mit Zwiebeln, vielen Zwiebeln, ihr Lieblingsgericht! Aber hinter dem Herd stand nicht die rundliche Alyssa in ihrer bunten Kittelschürze, sondern, ein weißes Küchentuch über dem eleganten Lederkleid, Susans zierliche Mutter. Und in der Pfanne vor ihr brutzelten fünf Steaks und verbreiteten einen Geruch, bei dem Susan das Wasser im Mund zusammenlief.

„Hey, Mom!", grüßte Susan. „Hast du deinen Prozess gegen diese blöde Versicherung gewonnen oder wie kommen wir zu der Ehre, an einem ganz normalen Dienstag mit Steaks gefüttert zu werden?"

Olivia Bernardin – erfolgreiche Rechtsanwältin in der Kanzlei ihres Ehemannes Maximilian – drehte sich und lächelte ihre Älteste an.

„Schön, dass du schon da bist, Süße!" In ihren dunkelbraunen Augen leuchtete es vergnügt und wieder einmal dachte Susan: Wie hübsch sie ist! Fast beneidete sie ihre Mutter um ihr dunkles, seidiges Haar, das in einem gepflegten Pagenkopf ihr fein geschnittenes Gesicht umrahmte. Dagegen kam sich Susan wie ein fades Blondchen vor, viel zu groß und unbeholfen. Ob sie deswegen bei den Probeaufnahmen durchgefallen war? Ach, sie wollte nicht mehr daran denken! Immerhin gab es Steaks zum Mittagessen und darum würde sie als wohlerzogene Tochter sogar freiwillig den Tisch decken.

Als Susan die Besteckschublade aufzog, lächelte Olivia über die Schulter.

„Sag mal, Jungstar – von welchem Sozius der Rechtsanwaltskanzlei Bernardin, Bernardin und Partner möchtest du dich denn bei deinen Vertragsverhandlungen vertreten lassen?"

„Wie bitte?" Susan fuhr auf dem Absatz herum.

„Dein Vater wollte es wissen, nachdem heute Morgen die Firma Stürmann Filmproduktionen angerufen und mitgeteilt hat, dass sie daran interessiert ist, Fräulein Susan Bernardin für eine Rolle in ‚Gute und schlechte Tage' zu engagieren – das war, kurz nachdem du zur Schule gefahren bist."

Susan blieb der Mund vor Staunen offen. Sie ließ die Messer, die sie aus der Schublade genommen hatte, fallen.

„Mensch, Mama!", juchzte sie. „Die wollen mich wirklich?"

„Ja, mein Schatz!" Olivia Bernardin legte die Arme um Susans Schultern. „Und ich verstehe das sogar – ich finde nämlich, dass du wunderhübsch und sehr begabt bist."

„Mami, ich habe schon fast nicht mehr dran

geglaubt ...“, stotterte Susan, doch dann sah sie ihren in der Küchentür lehnenden, breit grinsenden Bruder. Nein, dem würde sie den Gefallen nicht tun, ihre Zweifel zuzugeben! Sie schluckte und sagte vorsichtig: „Na ja – das hat eine ganze Weile gedauert, nicht?“

„Wahrscheinlich haben die es erst bei fünf anderen Kandidatinnen versucht.“ Flups grinste, schob sich vollends in die Küche und sammelte die Messer auf, die seine Schwester fallen gelassen hatte. „Aber denen war die Gage zu popelig – und darum kriegst du jetzt eine Chance!“

„Felix!“, mahnte Olivia Bernardin. „Du kannst stolz auf deine Schwester sein.“

„Auf die?“ Flups klang fast empört. „Weil sie in einer blöden Fernsehserie mitspielt, die eh bloß von blöden Mädchen gesehen wird? Wenn's wenigstens ‚Star Trek‘ wäre! Aber nein, wenn meine Schwester schon mal im Fernsehen rumturnt, dann ist es so ein Liebesschmalz!“, maulte er.

„Du musst es ja nicht angucken“, giftete Susan zurück. Manchmal hätte sie ihren kleinen Bruder am liebsten ohne Rückfahrkarte auf den klingonischen Heimatplaneten geschossen. „Andererseits wäre es kein Schaden, wenn du es tun würdest. Vielleicht könntest du dabei was lernen – und deine Chancen bei dieser komischen Britta, der du seit Wochen hinterherläufst, erhöhen!“

„Abgesehen davon, dass ich nicht hinter Britta herlaufe, würde die bestimmt nicht auf den schmierigen Charme deines Herrn Hauptdarstellers reinfallen“, konterte Felix Bernardin. „Wenn der zum Friseur kommt, verlangt er doch wahrscheinlich einen Ölwechsel!“

„Pffff!“, machte Susan abfällig. Sie fand Julian van Eycken, den Hauptdarsteller in „Gute und schlechte Tage“, ziemlich aufregend. Groß, schlank, blauschwarz schimmernde Haare, verwirrend dunkelbraune Augen unter endlosen, geschwungenen Wimpern – und dazu eine Stimme wie Samt! Aber natürlich hätte sie vor ihrem nervigen kleinen Bruder nie und nimmer zugegeben, dass sie darauf hoffte, den attraktiven Knaben bei den Dreharbeiten näher kennen zu lernen. „Mom ...“, sie wandte sich ihrer Mutter zu, „kann ich noch mal telefonieren?“

„Vor dem Essen? Dein Vater müsste wirklich jeden Moment da sein!“

„Ja, aber ...“

„Ich weiß – du möchtest Annkathrin erzählen, dass du engagiert bist.“ Olivia lächelte verständnisvoll. „Aber bitte: Mach nicht so lange!“ Und während ihre Tochter Richtung Tür eilte, legte sie eine Hand auf die Schulter ihres Sohnes. „Du bleibst da, Flups! Du deckst weiter den Tisch – und hörst auf Susan zu piesacken!“

Susan hörte es nur noch auf einem Ohr. Sie rannte in den Flur, schnappte das Telefon und eilte in ihr Zimmer. Oben auf dem Flur machte sie erst einmal einen Luftsprung. Oh Himmel, sie freute sich so sehr – engagiert für „Gute und schlechte Tage“! Gut, es war nur eine kleine Rolle, aber was zählte das? Sie war drin! Sie würde vier Wochen lang jeden Morgen ins Studio fahren, sie würde vor der Kamera stehen und zeigen, was sie draufhatte! Und sie wusste, dass sie eine Menge Talent hatte!

Seit sie denken konnte, hatte sie davon geträumt, Schauspielerin zu werden. Auf einer Bühne oder vor einer Kamera zu stehen, in andere Figuren hineinzuschlüpfen, ihre Gefühle, ihr Erleben darzustellen! Susan konnte sich keinen interessanteren Beruf vorstellen, sie konnte sich nichts vorstellen, was sie lieber tun würde. Und sie hatte auch schon ein wenig Erfahrung: In der Schule gab es eine Schauspielgruppe und sie hatte es im letzten Jahr geschafft, einige ältere Konkurrentinnen auszustechen und die Hauptrolle in „Romeo und Julia" zu ergattern. Drei Aufführungen hatten sie gespielt und bei der ersten war sogar ein Kritiker von der Zeitung da gewesen. Zwei Tage später hatte ihr Vater beim Frühstück vorgelesen: „Besonderen Eindruck machte die junge Susan Bernardin als Julia, eine verwirrende, aber sehr liebenswerte Mischung aus Keckheit und Sensibilität." Maximilian Bernardin hatte die Zeitung gesenkt und seine Tochter angelächelt: „Kann es sein, dass diese Susan Bernardin und die Julia sich ziemlich ähnlich waren?"

„Du meinst, ich habe nicht Julia gespielt, sondern mich selbst?", hatte Susan skeptisch gefragt.

Felix hatte die Gelegenheit prompt genutzt, ihr wieder einmal eins auszuwischen.

„Um Julia zu spielen, hätte es Talent gebraucht!"

Susan hätte ihm am liebsten sein Marmeladebrot um die Ohren gehauen, doch ihr Vater nahm sie schon in Schutz.

„Der große englische Schauspieler Sir Laurence Olivier hat einmal gesagt, ein Schauspieler kann in einer Rolle erst dann überzeugend sein, wenn er sich selbst in der Figur entdeckt und eingebracht hat."

„Wenn das so ist ...", Flups hatte gegrinst, „dann sollte sich mein Schwesterlein schleunigst in Hollywood bei Steven Spielberg bewerben. Es würde ihr sicher nicht schwer fallen, ein Monster in sich zu entdecken!"

Susan hatte ihr Zimmer erreicht, sich aufs Bett fallen lassen und wählte schon die Nummer ihrer besten Freundin Annkathrin. Sie war sicher: Annkathrin würde sich mit ihr freuen! Immerhin sprachen sie seit Tagen von nichts anderem als von den Probeaufnahmen. Und immerhin war Annkathrin diejenige gewesen, die ihr damals die Zeitschrift „Girl" gebracht und gesagt hatte: „Du musst dich bei diesem Talentwettbewerb unbedingt bewerben!"

Es klingelte zweimal, dann meldete sich Annkathrin. Susan begrüßte sie nicht, sondern jubelte sofort:

„Stürmann Productions hat angerufen – Annkathrin, ich habe das Engagement! Die wollen mich tatsächlich!"

„Juuuuhu!", rief es auf der anderen Seite. „Habe

ich es dir nicht gleich gesagt? Du bist die Größte! Du kommst ganz sicher ganz groß raus, glaub mir!“

Susan räkelte sich unter den Komplimenten wie eine Katze unter einer streichelnden Hand. „Das einzig Blöde daran ist, dass du mit deinen Eltern in Urlaub sein wirst, wenn ich im Studio bin! Es wäre viel schöner, wenn du da wärst und ich dir abends erzählen könnte, wie es war!“, sagte sie.

„Glaubst du, ich habe Lust, zwei Wochen auf irgendwelchen Bergen rumzukraxeln?“, maulte Annkathrin und im gleichen Atemzug rief sie: „Ja, Mama, ich komm ja gleich!“

„Musst du zum Essen?“

„Ja. Und außerdem meckert sie, weil ich schon wieder so lange telefoniere.“ Annkathrin ließ sich davon nicht irritieren. „Aber jetzt erzähl doch mal! Was haben die von der Produktion gesagt?“

„Ich weiß es nicht. Mein Dad hat heute Morgen mit ihnen telefoniert. Er wird’s mir nachher beim Mittagessen bestimmt erzählen.“

„Und dann rufst du mich noch mal an, ja?“

„Klar!“, versicherte Susan. Sie hörte von unten die Stimme ihres Vaters, der im Flur mit Flups sprach. „Du, ich muss nach unten – Dad ist gerade heimgekommen. Ich bin so gespannt!“

„Hau schon ab! Ciao!“

Dr. jur. Maximilian Bernardin stand in einem dunklen Anzug mit offenem Kragen in der Diele seines Hauses. Die weiße Krawatte, die er als Anwalt unter der Robe zu tragen hatte, hing wie meist aus der linken Tasche seines Jacketts, seine blonden Haare waren etwas verwuschelt.

„Na, Tochter?“ Maximilian Bernardin hob den Kopf und lächelte seine Tochter an. „Wie fühlt man sich denn als werdender Fernsehstar?“

„Ach, Papa ...“ Susan schluckte. Die Vorstellung, dass ihr Gesicht bald auf dem Bildschirm zu sehen sein würde, überwältigte sie plötzlich. „Ich weiß noch gar nicht, ob ich das packe.“

„Blödsinn!“ Maximilian Bernardin legte den Arm um Susans Schultern und schob sie vor sich ins Esszimmer. „Du packst alles, was du packen willst – du bist immerhin meine Tochter! Und außerdem hast du Talent! Das findet übrigens auch dieser Stürmann. Er meinte, du seist vielleicht noch ein bisschen steif und verkrampft, aber das würde der Regisseur schon hinkriegen.“

„Warum nimmt er mich denn, wenn er mich steif und verkrampft findet?“, fragte Susan mit hochgezogener Augenbraue.

„Wahrscheinlich, weil er keinen Anfänger kriegen wird, der nicht steif und verkrampft ist.“ Maximilian Bernardins Stimme wurde ernst. „Susan ...“, begann er, „du musst dir über eines klar sein: Das, was da auf dich zukommt, ist harte Arbeit. Du wirst bestimmt nicht nur den Bauch gepinselt bekommen, sondern im Gegenteil einiges an Kritik einstecken müssen. Und man erwartet von dir, dass du das wegpackst wie ein Profi. Stürmann meinte, er sei auch an dir interessiert, weil du einen sehr vernünftigen Eindruck machst. Er will sich nicht mit irgendeinem Häschen rumärgern müssen, das wegen jedem kritischen Wort in Tränen ausbricht."

„Hmmm ...", machte Susan. Sie waren mittlerweile im Esszimmer angekommen und hatten sich an den Tisch gesetzt. Flups brachte die Platte mit Gemüse, Olivia kam mit den Steaks.

„Ist der Vertrag für Susan inzwischen eigentlich da, Max?", fragte sie ihren Mann.

„Nein – wenn ich Stürmann richtig verstanden habe, kommt er per Post. Scheint was Größeres zu sein." Max lächelte Susan an. „Ich hoffe, du bist damit einverstanden, dass deine Mutter dieses Vertragswerk prüft, bevor wir es unterschreiben?"

„Natürlich!" Susan grinste. „Der Anwalt im Haus ersetzt die Rechtsschutzversicherung!"

„Deine Anwältin muss sich aber erst mal schlau machen!" Olivia legte ihr ein Steak mit reichlich Zwiebeln auf den Teller. „Max, hast du eine Ahnung, wie die Jugendschutzbestimmungen in dem Fall sind? Susan ist erst sechzehn."

„Brrrr. Jugendschutz war noch nie meine Stärke!" Max breitete seine Serviette aus und legte sie auf seinen Schoß. „Ich denke aber nicht, dass es für den Film andere Bestimmungen gibt als für sonstige Jobs. Sie darf nicht nachts arbeiten, sie darf nicht zu viel arbeiten ..."

„Wie ist es eigentlich mit der Kohle?", wollte Flups kauend wissen. „Wie viel muss sie der Produktionsfirma denn bezahlen, dass man sie mitspielen lässt?"

„Die zahlen mich, mein Lieber!", fauchte Susan. „Ich bin nämlich gut!"

„Ach ne?"

„Flups, sei friedlich! Es ist tatsächlich so, dass Susan bezahlt wird."

„Mel Gibson hat zwanzig Millionen Dollar für seinen letzten Film gekriegt", sagte Flups.

„So viel wird es bei deiner Schwester bestimmt nicht." Olivia grinste. „Die Hoffnung, dass sie uns alle damit ernähren kann, habe ich jedenfalls nicht."

Susan horchte auf. Sie hatte bisher noch gar nicht daran gedacht, dass sie für die Dreharbeiten bezahlt würde – aber nun, wo das Thema aufgekommen war ... Sie träumte schon lange davon, Schauspielunterricht zu nehmen, doch bis jetzt hatten ihre Eltern immer abgelehnt. Es sei noch zu früh, außerdem sei Privatunterricht sehr teuer, hatte es geheißen. Aber vielleicht reichte ja das Geld, das sie nun verdiente ...?

„Dad ...", sagte Susan plötzlich.

„Hmmm?"

„Du hast doch letztes Jahr den Schauspieler Philip Pierson vertreten ..."

„Ja, habe ich." Susans Vater nickte lächelnd. Er erinnerte sich ausgesprochen gerne an jenen Prozess, bei dem er den erfolgreichen Schauspieler gegen eine Zeitschrift vertreten hatte, die ein von Anfang bis Ende erlogenes Interview mit ihm veröffentlicht hatte. Max Bernardin hatte den Prozess gewonnen und Pierson hatte ihn und Olivia zu einer Premiere im Schauspielhaus und zur anschließenden Party eingeladen, ein Abend, an dem die beiden Bernardins viel Spaß gehabt hatten.

„Ich habe gelesen, Pierson gibt auch Schauspielunterricht“, sagte Susan vorsichtig.

„Stimmt“, bestätigte Max. „Er ist vor einem halben Jahr als Professor für Schauspiel an die Hochschule berufen worden. Allerdings ...“, Max schob ein Salatblatt in den Mund und sprach kauend weiter, „weiß ich nicht, ob er Privatunterricht für Anfänger gibt.“

Susan schaute ihre Mutter Hilfe suchend an.

„Vielleicht solltest du ihn einfach mal fragen, Schätzchen?“, schlug die vor. „Was meinst du, Max?“

„Tja ...“ Max Bernardin legte Messer und Gabel auf seinen leeren Teller. „Warum eigentlich nicht? Er kann nicht mehr als Nein sagen.“ Er faltete seine Serviette zusammen und schob sie in den Ring, der vor ihm lag. „Vielleicht rufst du ihn am besten gleich an? Wenn du nun schon bei dieser Fernsehproduktion mitspielst, wäre es vielleicht kein Schaden, vorher mal mit Pierson geredet zu haben.“

„Und wenn er es nicht selbst machen will, wird er ihr auf jeden Fall einen Lehrer empfehlen können“, fügte Olivia hinzu.

Susan strahlte über das ganze Gesicht.

„Ihr seid einverstanden, dass ich jetzt schon Unterricht nehme?“

„Ja.“ Ihr Vater nickte. „Allerdings nur unter einer

Bedingung: Du wirst dich trotzdem auf die Schule konzentrieren. Ist das klar?“

„Natürlich, Dad. Ich verspreche es.“ Susan hätte fast alles versprochen nur um die Erlaubnis für Schauspielunterricht zu bekommen – und dann vielleicht noch bei Philip Pierson! Er war einfach der Größte! Er war sogar noch beeindruckender als Julian van Eycken ... obwohl Julian natürlich besser aussah.

Susan hätte sich am liebsten in den Arm gekniffen um sicher zu sein, dass sie nicht träumte. Was für ein Tag!

„Barbara ...“, sprach Susan, die Stirn in Konzentrationsfalten gelegt, „saß nah am Abhang, sprach gar sanghaft – zaghaft ...“ Sie kam aus dem Takt, schluckte und schaute Hilfe suchend auf zu Philip Pierson, der in einer bequemen Jeans und hellem Hemd vor ihr auf der Tischkante saß.

„Sprach gar sanghaft – zaghaft langsam ...“, half er ihr mit volltönender Stimme weiter.

Susan atmete tief durch und probierte es noch einmal: „Sprach gar sanghaft – zaghaft langsam; mannhaft kam alsdann am Waldrand Abraham a Santa Clara.“ Uff, das war geschafft! Susan schnaufte erleichtert, doch nur für einen Moment, denn Philip Pierson schüttelte mit einem kleinen Lächeln den Kopf. „Nicht zur Strafe, nur als Übung – das Ganze noch mal! Und wenn's geht, etwas weniger oberbayrisch genuschelt!"

Susan nickte, schloss die Augen und sammelte sich zum zweiten Anlauf. Das Zwerchfell sollte sie spüren und ihre Stimmbänder, denn die sollten sich bei jedem Laut richtig öffnen und schließen und schwingen – ganz bewusst, ganz kontrolliert. Und dabei immer schön locker bleiben! So hatte es Philip der Große jedenfalls in den letzten fünf Stunden erläutert und er hatte ihr oft genug vorgeführt, wie es bei ihm klang – was jedes Mal ein nicht zu kleines Unbehagen bei Susan hervorrief. So würde sie es nie können! Bei ihm war alles so einfach, so spielerisch, so perfekt! Und bei ihr? Sie kam sich vor wie ein Baby, das gerade brabbeln lernt. Nur mit dem Unterschied, dass das Baby sich dabei nicht so unwohl fühlen würde. Himmel, sie hatte nicht geahnt, wie anstrengend Sprechen sein konnte!

Aber bitte, wenn der strenge Herr meint! Sie schob das Becken etwas vor, bemüht, die verkrampfte Rückenmuskulatur zu lösen.

„Immer schön locker bleiben!" Der hatte gut reden, dieser Staatsschauspieler! Der erinnerte sich wahrscheinlich nicht mehr, wie absolut bescheuert er sich gefühlt hatte, als er selbst angefangen hatte! Und der erinnerte sich auch nicht mehr daran, wie anstrengend es war, eine Stunde lang so zu stehen, die Schultern gestrafft, damit die Atmung in den Bauch konnte. Susan hatte bisher gedacht, ein Lungenatmer zu sein, doch der Sprechunterricht belehrte sie eines

Besseren: Bei Philip Pierson wurde „tief durch den Bauch“ eingeatmet!

„Barbara saß nah am Abhang ...“, begann Susan wieder.

„Besser“, fand Pierson – und zeigte dabei sein charmantestes Lächeln mit Lachgrübchen links und rechts in den Mundwinkeln. Susan bemühte sich, auch den nächsten Halbsatz deutlich zu formulieren: „Sprach gar sangbar ...“

„Halt!“, unterbrach Pierson. „Das R“, bei ihm rollte es vollklingend, „darfst du noch vergessen. Dazu kommen wir später. Versuch erst einmal, die Artikulation des Vokals sauber zu bringen. Wenn wir das haben, bin ich schon ganz zufrieden für heute!“

„Ja.“ Susan nickte. „Noch mal von vorne?“

„Hmmm ... ich habe das Gefühl, dass dir die Barbara an ihrem Abhang schon etwas auf den Wecker geht.“ Pierson ließ sich vom Tisch rutschen. „Wie wär's mit ein wenig Goethe?“ Er atmete tief durch, Susan konnte sehen, wie sich seine Bauchmuskulatur unter dem Polohemd bewegte. „Sprich mir nach: Walle! Walle manche Strecke, dass zum Zwecke Wasser fließe ...“

„Walle, walle manche Strecke ...“, begann Susan gehorsam, konnte es sich aber doch nicht verkneifen, durch eines der Fenster hinaus in den Garten zu sehen. Es war so wundervolles Wetter draußen! Wahrscheinlich waren all ihre Freunde im Schwimmbad. Annkathrin hatte den ganzen Morgen in der Schule von einem Typ geschwärmt, den sie am Tag zuvor dort kennen gelernt hatten. Er war tatsächlich niedlich gewesen – ein Blonder mit langen, seidigen Locken und strahlend blauen Augen. Und er hatte ein bisschen mit Susan geflirtet.

Dummerweise hatte sie momentan überhaupt keine Zeit zum Flirten! Sie musste sprechen lernen. Obwohl sie nach drei Wochen mit dauernden Sprachübungen schon mehr und mehr daran zweifelte, ob es eine gute Idee gewesen war, Philip Pierson zu bitten ihr Unterricht zu geben. Pierson hatte anfangs am Telefon gezögert.

„Eigentlich gebe ich keinen Privatunterricht. Und außerdem wollte ich die paar freien Tage vor meiner nächsten Produktion in Ruhe genießen ..." Susan hatte einfach abgewartet und tatsächlich hatte er nach kurzer Denkpause gesagt: „Okay. Ich bin Ihrem Vater noch was schuldig. Also kommen Sie her. Und wenn Sie einigermaßen talentiert sind, machen wir ein paar Stunden zusammen, damit Sie im Studio nicht gleich ins Schwimmen kommen."

Schon zwei Stunden später war sie vor der Villa in Bogenhausen gestanden – nervös, sehr nervös sogar. Wie sollte sie Philip Pierson beweisen, dass sie Talent hatte? Im Studio damals, da war es kein Problem gewesen! Man hatte ihr eine Szene zu lesen gegeben, der Regisseur hatte ihr gesagt, was sie zu tun hatte, und sie war einfach seinen Anweisungen gefolgt. Es war so einfach gewesen, viel einfacher, als sie gedacht hatte.

Aber bei Philip Pierson gab es keinen Regisseur.

Ob sie ihm wohl ein Stück aus „Romeo und Julia" vorsprechen konnte? Den Text hatte sie gelernt und immer noch parat. Andererseits ... er hatte schon so viele gute Julias gesehen! Hatte sie nicht irgendwo einmal gelesen, dass er seine Frau Alexa in „Romeo und Julia" auf der Bühne kennen gelernt hatte? Alexa Hinrichs war sicher eine großartige Julia gewesen – so wie sie heute eine umwerfende Titania in Shakespeares „Sommernachtstraum" war und der Star aller Filme, in denen sie mitspielte.

Susan hatte sich plötzlich ziemlich unbeholfen und unsicher gefühlt. Was, wenn er sie untalentiert fand und nicht unterrichten wollte? Verdammt, hätte sie doch wenigstens zu Hause die Klappe nicht so weit aufgerissen! Aber Flups hatte wieder einmal ohne Ende provoziert und so war sie schließlich mit dem Satz: „Ihr werdet schon sehen, wie ich das hinkriege!" aufgebrochen. Zurückkommen und zugeben müssen, dass sie abgelehnt worden war – nein, das konnte sie nicht bringen!

So hatte sie schließlich auf die Klingel gedrückt. Oben, auf der weiß gestrichenen Mauer, hatte sich eine Videokamera gedreht. Susan hatte plötzlich lachen müssen. Immer, wenn sie so ein Ding sah, überkam sie die Lust ihm die Zunge herauszustrecken. Doch das hätte ihre Chancen von Pierson als Schülerin angenommen zu werden wahrscheinlich nicht erhöht. Also hatte sie es mit ihrem freundlichsten „Susanistlieb"-Blick probiert und tatsächlich hatte sich das schmiedeeiserne Tor vor ihr geöffnet. Über einen gekiesten Weg zwischen blühenden Rosen hindurch war sie auf die noble Villa zugegangen – und hatte fast erwartet, dass ein stinkvornehmer Butler in Livree ihr die Tür öffnen würde. Stattdessen ging die Tür auf, ein ungefähr 19-jähriger Junge, den Blick nach rückwärts gewandt, rief: „Aber dafür hängst du die Wäsche auf!", und prallte gegen Susan. Er entschuldigte sich mit einem gebrummten „Sorry!" und flitzte schon den Weg in den Garten hinunter. Er trug eine reichlich angegammelte Jeans und ein ehemals schwarzes T-Shirt, die blonden Haare waren zu einem Pferdeschwanz zusammengebunden.

„Alter Erpresser!", hatte jemand aus dem Hausflur geantwortet – und Susan hatte sofort Philip Piersons Stimme erkannt. Sie hatte ihn schließlich oft genug im Fernsehen und im Kino gehört! Trotzdem hatte sie sein Anblick etwas erstaunt. Der große Schauspieler stand barfuß, in Jeans und nicht gerade taufrischem T-Shirt, mit einem Korb voller Wäsche in der Hand in der Tür und lächelte sie an: „Sie sind sicher Susan Bernardin? Kommen Sie rein, aber erschrecken Sie nicht! Unsere Haushaltshilfe liegt auf Mallorca in der Sonne und meine Frau ist seit einer Woche bei Außenaufnahmen, was bedeutet: Der heimische Hort gleicht inzwischen einer Drachenhöhle!"

„Kann ich Ihnen irgendwie helfen?", hatte Susan wohlerzogen angeboten.

„Ne!" Pierson hatte gelacht. „Es sei denn, Sie

kennen einen Trick, mit dem man rosa verfärbte Unterwäsche wieder weiß kriegt."

„Unsere Haushaltshilfe nimmt da immer Entfärber!"

„Entfärber? Wenn ich wüsste, wo man so was herbekommt, könnte ich es vielleicht verwenden!" Philip Pierson stellte den Wäschekorb auf den Boden und beförderte ihn mit einem gezielten Fußtritt in Richtung der offenen Küchentür. „Genug davon – wenden wir uns lieber Dingen zu, von denen ich mehr verstehe!" Mit einer einladenden Handbewegung wies er Susan an, ihm in den großen Wohnraum zu folgen, wo inmitten von edlem Designermobiliar ein Chaos aus Büchern, Zeitschriften, leeren Gläsern und abgegessenen Tellern herrschte.

„Wie ich sagte: Hier sieht's aus wie nach einem Bombenangriff", verkündete Pierson, fegte ein Jackett und ein paar Zeitungen aus einem Sessel und deutete darauf: „Nehmen Sie Platz! Möchten Sie was trinken? Mineralwasser vielleicht? Oder Orangensaft?"

Susan hatte abgelehnt, sie war zu aufgeregt. Gleichzeitig aber begann sie sich wohl zu fühlen. Piersons Unordnung erinnerte sie ein wenig an ihr eigenes Zimmer. Wahrscheinlich war er gar nicht so streng, wie sie befürchtet hatte. Auf jeden Fall schien er kein Pedant zu sein und auch kein eingebildeter Star, der erwartete, dass man ihm alles hinterherräumte.

Susan wagte, sich etwas zu entspannen – doch nur für einen Moment. Dann war Pierson nämlich auf dem Sofa gegenüber gelandet, hatte die langen Beine ausgestreckt und gefragt: „Sie wollen also Schauspielerin werden – können Sie mir sagen, warum?"

Susan hatte ihn erst einmal groß angeguckt. Wie konnte er so etwas fragen? Er war doch selbst Schauspieler! Er, vor allen anderen Menschen, musste doch verstehen, warum sie von diesem Beruf träumte! Aber wenn er es unbedingt hören wollte ...

„Ich finde es faszinierend, in andere Charaktere hineinzuschlüpfen", hatte Susan vorsichtig angefangen. Piersons Gesicht blieb ruhig, keine Regung war darin zu lesen. Susan hatte angefangen zu schwitzen, aber tapfer weitergesprochen: „Ich möchte spannende Geschichten erleben und das kann ich als Schauspieler. Ich möchte alle möglichen Gefühle darstellen, das ganze Leben vielleicht." Verdammt, das hatte blöd geklungen! Vorsichtig schielte sie zu Philip Pierson hinüber. Er hatte sich zurückgelehnt, den Kopf hielt er leicht schräg, der Mund war ernst, aber seine Augen lächelten. „Und ich glaube, es ist einfach toll, wenn man Leute unterhalten kann ..." War das nicht schon wieder blöd gewesen? Warum sagte Pierson nichts? Susan fühlte, wie ein kleines Schweißbächlein ihren Rücken hinunterrann. „Ich weiß, dass ich dazu eine ganze Menge lernen muss. Aber ich glaube, dass ich Talent habe." Oh Himmel, jetzt blamierte sie sich womöglich bis auf die Knochen! Susan verstummte und wartete einfach ab, bis Pierson nickte.

„Hmm ..." Er betrachtete sie abschätzend. „Immerhin, du bist hübsch. Das ist in diesem Beruf für eine Frau ganz sicher ein Vorteil. Du hast ein interessantes Gesicht, die Kamera mag es offensichtlich, du hast einiges an Präsenz – daraus kann man was machen."

Susan atmete tief und erleichtert durch. Er hatte zum Du gewechselt – das war doch wohl ein gutes Zeichen! Doch Pierson war noch nicht fertig. „Die Stimme ist allerdings nicht das Gelbe vom Ei! Die klingt ziemlich gepresst und außerdem sprichst du ein wenig oberbayrisch."

„Meine Mom ist aus Oberbayern ...", sagte Susan fast etwas schüchtern.

„Meine ist Schwäbin, mein Vater ist Hesse und ich bin in Berlin aufgewachsen – die Dialektmischung, mit der ich angefangen habe, hat meinem ersten Lehrer fast die Socken ausgezogen!" Pierson lachte. „Das kriegt man hin, wenn man daran arbeitet. Der Druck darauf macht mir mehr Sorgen – hast du Probleme mit der Nase?"

„Nicht dass ich wüsste."

„Gut." Pierson erhob sich. „Steh mal auf und geh zum Fenster!" Susan folgte brav dem Befehl und fühlte sich mit seinem Blick im Rücken etwas unbeholfen. „Hmm – und jetzt Richtung Tür! Etwas entspannter, wenn's geht ..." Susan trottete brav in Richtung Tür, an ihm vorbei. „Hmm ... nicht übel. Machst du Sport?"

„Fechten und Reiten, ein bisschen."

„Gut. Ballett?"

„Mal angefangen, aber sehr gut war ich darin nicht."

„Ich auch nicht. Ich habe früher jede Menge Choreografen zur Verzweiflung getrieben." Pierson trat neben sie und fasste mit kräftigen Händen nach ihren Schultern. Er zog sie etwas zurück. „Dein Fechtlehrer ist von deiner Haltung sicher nicht begeistert, du solltest dich etwas mehr aufrichten. Schultern zurück, Wirbelsäule gerade, tief atmen – und das Ganze bitte schön locker!"

Susan linste zu ihm hinauf. Das war anders als das, was sie erwartet hatte. Wollte er denn nicht, dass sie ihm irgendetwas vorspielte? Offensichtlich nicht, denn nun stand er neben ihr, rieb sein Kinn zwischen Daumen und Zeigefinger und fragte skeptisch:

„Wann sollst du vor die Kamera?"

„In vier Wochen."

„Dann sollten wir möglichst rasch anfangen zu arbeiten. Ich halte zwar nicht viel von Crash-Kursen, aber in deinem Fall geht es wohl nicht anders."

„Sie unterrichten mich?" Susan war nahe daran, ihm um den Hals zu fallen. „Ich freu mich so!"

„Wenn ich du wäre, würde ich nicht so laut jubeln. Die Schauspielerei ist ein verdammt harter Job – und ihn zu lernen ist Knochenarbeit!" Sein schmales, dunkles Gesicht wurde ernst, sehr ernst sogar. „Damit wir uns über eines von Anfang an im Klaren sind: Ich werde dich kostenlos unterrichten, weil ich deinem Vater einen Gefallen schuldig bin und weil ich glaube, dass du Talent hast. Ich habe aber absolut keine Lust, meine Zeit an jemand zu verschwenden, der nicht hart arbeitet. Wenn du also nicht mitziehst, fliegst du hochkant raus. Kapiert?“

Susan nickte. „Ich will mich bemühen.“

„Das erwarte ich. Und das sind die Spielregeln: Bis zu deinem Drehbeginn will ich dich jeden zweiten Tag um fünfzehn Uhr hier sehen. Du wirst pünktlich antreten, du wirst an den Tagen, an denen du nicht hier bist, die Übungen machen, die ich dir verpasse, und du wirst nicht das heulende Elend kriegen, wenn ich dich zusammenstauche. Ist das klar?“

„Ja.“ Susan schluckte. „Und ... danke, Herr Pierson!“

„Ich heiße Philip – für Kollegen und solche, die es werden wollen.“

Und dann hatte er gleich mit der ersten Stunde angefangen. Susan hatte gar nicht gewusst, dass man Stehen lernen musste, aber es hatte fast eine halbe Stunde gedauert, bis ihr strenger Lehrer diesbezüglich einigermaßen mit ihr zufrieden war.

„Aufrecht!“, hatte er immer wieder gepredigt. „Das Becken ein ganz klein wenig nach vorne, die Schultern zurück. Du musst dir deiner Wirbelsäule bewusst werden. Du musst lernen jeden Muskel, jede Faser in deinem Körper zu beherrschen.“

Einmal hatte sie ihn mit einem zweifelnden Blick angeschaut. Er hatte gelächelt.

„Du fragst dich, wozu das gut ist? Abgesehen davon, dass du eine gute Haltung brauchst um richtig sprechen zu lernen, brauchst du als Schauspielerin auch eine optimale Körperbeherrschung. Neben der Stimme ist der Körper das Instrument des Schauspielers. So wie ein Geiger seine Violine, so musst du deinen Körper im Griff haben." Bei diesen Worten sackte Philip Pierson plötzlich in sich zusammen. Seine Schultern kippten nach vorne, sein Mund schien nach unten zu fallen, die langen Arme baumelten hilflos an seiner Seite. Er sah aus, als ob er gleich zusammenbrechen würde. Susan erschrak. Was war mit ihm los? War ihm übel geworden?

„Philip?", fragte sie.

Mit einem Ruck richtete er sich wieder auf und grinste: „Siehst du jetzt, was ich meine?" Die Schultern zurück, das Becken etwas vorgereckt, die Daumen links und rechts in den Hosentaschen eingehakt, erinnerte er jetzt an einen Cowboy auf dem Weg in den Saloon. Susan musste lachen.

„Ich hab's verstanden."

„Prima." Nun klang er wieder wie der Staatsschauspieler Philip Pierson – klar, deutlich, etwas streng. „Dann muss ich dir wohl nichts mehr über Körperbeherrschung erzählen. Dafür bekommst du jetzt deine erste Hausaufgabe: Du wirst bis übermorgen Nachmittag die Menschen in deiner Umgebung beobachten und dir über ihre Körpersprache Gedanken machen. In der nächsten Stunde möchte ich, dass du mir drei typische Gesten von den Menschen um dich herum zeigst und mir außerdem verrätst, was sie wohl zu bedeuten haben. Und wenn wir schon dabei sind …“, er eilte zu dem gut gefüllten Bücherregal und griff zwei Bände heraus, „dann gibt es auch gleich etwas Lektüre.“ Er reichte ihr ein dünnes, blau eingebundenes Buch. „Es gibt mit Sicherheit spannendere Themen als die Sprecherziehung, aber das ändert nichts daran, dass du bis übermorgen Kapitel eins bis vier in diesem Lehrbuch gelesen und verstanden haben solltest.“ Susan nickte. Dann drückte er ihr auch noch das andere Buch in die Hand. „Das ist über Körpersprache, und damit kannst du dir etwas mehr Zeit lassen.“

Die nächsten Tage hatte Flups seinen Spaß. Seine große Schwester vor dem Spiegel in ihrem Zimmer bei Atem- und Sprechübungen zu sehen, amüsierte ihn mächtig. Susan allerdings kam sich manchmal reichlich blöd vor, wenn sie durchturnte, was das „Sprecherzieherische Übungsbuch“ ihr empfahl. Und Flups lag flach vor Wonne, wenn Susan mit aufgeblasenen Wangen „Zungenschleuderübungen“ praktizierte: „Blom, blum, blam, blim, blüm …“ Oh Himmel, wer hatte sich so was nur ausgedacht? Und die „Lippenblähübungen“ auf „ba-ba-bo“, „ba-ba-bu“, „bla-bla-blo“ und „bla-bla-blu“ klangen auch reichlich bescheuert.

Doch das Übelste am Schauspielunterricht waren nicht die Hausaufgaben, die anstrengenden Stunden oder Philips Kritik. Das Übelste waren die anscheinend unvermeidlichen Begegnungen mit Pit. Gleich zu ihrer zweiten Stunde bei Philip Pierson war

Susan, im Bemühen bloß nicht zu spät zu kommen, gut eine Viertelstunde zu früh angetreten. Und weil sie Philip nicht stören wollte, wartete sie vor dem Gartentor, bis eine nicht eben freundliche Stimme ertönte: „He, wenn du noch lange da rumstehst, glauben die Nachbarn, Phil hätte sich mal wieder einen *stalker* zugelegt. Also komm rein!"

Der Blonde, der sie bei ihrem ersten Besuch angerempelt hatte, stand in Shorts vor ihr und musterte sie abschätzig.

„Was ist ein *stalker*?", fragte Susan und kam sich dabei reichlich dumm vor.

„Englisch ist wohl auch nicht deins? *To stalk* heißt pirschen oder jagen, und ein *stalker* ist ein Pirschjäger. Im übertragenen Sinne ist ein *stalker* jemand, der hinter irgendeinem Star her ist." Der Blonde öffnete das Gartentor und ließ sie hinein. „Phil hat ab und an mal Probleme mit durchgeknallten Tussis, die scharf auf ihn sind und sich dann als *stalker* betätigen", erklärte er, während er vor ihr ins Haus ging. Er grinste schief: „Aber wahrscheinlich wirst du das auch bald kennen lernen – wie ich gehört habe, bist du der neue Star in der berauschenden Fernsehserie ‚Gute Tage und schlechte Tage'."

„Ich spiele bloß eine kleine Rolle." Susan ärgerte sich über ihn und seinen Ton.

„Och, wirklich? Wie bescheiden ..."

Susan hätte ihm mit beiden Füßen voran ins Gesicht springen können! Wer war dieser Knabe eigentlich und was bildete er sich ein?

Der Blonde grinste.

„Immerhin bist du besser als das letzte Hascherl, das mein alter Herr in die Mangel genommen hat. Die hat er schon nach einer halben Stunde rausgeschmissen. Ich bin mal gespannt, wie lange du durchhältst. Übrigens – ich bin Pit Pierson, Phils Sohn."

„Das habe ich mir schon gedacht." Susan nützte ihre neu erworbene Fähigkeit Wörter akzentuiert und doch beiläufig auszusprechen und fügte hinzu: „Obwohl du ihm überhaupt nicht ähnelst!"

Pit ließ sich nicht provozieren. „Klar. Er ist der einzige Pfau auf diesem Hühnerhof, gegen ihn hat keiner eine Chance. Darum werde ich auch Regisseur und nicht Schauspieler!"

„Bei deiner Sensibilität im Umgang mit dem Nachwuchs wird das sicher eine sensationelle Karriere." Philip Pierson war inzwischen in der Tür seines Arbeitszimmers erschienen und streckte Susan die Hand entgegen. „Grüß dich – und kümmere dich nicht um diesen Schaumschläger! Der kommt auch noch auf den Boden, wenn er erst ein paarmal Werbespots für Klopapier inszeniert hat."

Philip musste Susan jedes Mal, wenn sie in sein Haus kam, in Schutz nehmen. Pit konnte es sich nie verkneifen, ein paar giftige Kommentare abzulassen, wenn er sie sah. Doch Susan fühlte sich zunehmend sicherer, trotz der Schinderei mit Philip – und fauchte immer öfter zurück. Philip lachte darüber.

„Ihr seid wie Hund und Katze. Sag mal, Pit, was hast du eigentlich gegen Susan?“, hatte er eines Tages gefragt.

„Nix, was hilft!“, hatte Pit gebrummt und war nach oben verschwunden.

Philip hatte eine Augenbraue hochgezogen. „Mir scheint, mein Junior ist etwas eifersüchtig.“ Er hatte es dabei belassen und Susan in sein Arbeitszimmer gebeten, wo ihr nicht viel Zeit blieb über Pit nachzudenken, weil Philip sie sofort mit Übungen beschäftigte. Doch gegen Ende der Stunde hatte sie nachgehakt.

„Warum meinst du, dass Pit eifersüchtig ist? Weil ich so viel Zeit mit dir verbringe?“

„Das weniger – aus dem Alter, in dem er mit seinem Vater spielen wollte, ist er raus“, hatte Philip geantwortet. „Ich denke, es ist eher eine andere Art von Eifersucht, mit der du dich vertraut machen musst. Pit schmeckt es nicht, dass dir das, wofür er verdammt hart arbeiten musste, anscheinend in den Schoß gefallen ist.“

„Du meinst die Rolle in ‚Gute und schlechte Tage‘?“

„Ja. Er arbeitet seit einem Jahr als Regieassistent und um dahin zu kommen, musste er zwei Jahre lang bei sämtlichen Regisseuren und Produzenten in unserem Bekanntenkreis Klinken putzen.“

„Konntest du ihm nicht helfen?“

„Das wollte er nicht“, antwortete Philip. „Mein Herr Sohn hat seinen Stolz. Er will keinen Job, weil

Papa ihm die Bahn geebnet hat. Er will engagiert werden, weil man was von ihm hält. So ist er nun mal."

„Das finde ich ganz okay", sagte Susan. Obwohl sie Pit nicht leiden konnte, verstand sie ihn. „Ich würde es wahrscheinlich auch nicht mögen, ständig mit einem Schild ‚Papis Liebling' bei einer Produktion rumzulaufen."

„Ach, Susan – nur weil jemand mein Sohn oder mein Schüler ist, kann ich ihm in unserer Branche sowieso nicht viel weiterhelfen! Er bekommt vielleicht einen Vorstellungstermin, den ein anderer nicht gekriegt hätte. Aber wenn er dabei nicht verdammt gut ist, wird man sich mit ihm ein Viertelstündchen unterhalten und ihn dann mit dem berühmten Satz ‚Wir melden uns bei Ihnen' verabschieden. Ein paar Wochen später bekommt er einen Brief, in dem steht, dass man es zwar sehr nett fand, ihn kennen gelernt zu haben, aber bedauerlicherweise den Job anderweitig vergeben musste – mit besten Wünschen für Ihre weitere Zukunft, die Produktion."

„Hast du schon mal einen solchen Brief bekommen?", fragte Susan neugierig.

Philip lachte. „Einen? Wenn ich alle aufgehoben hätte, die ich in dreißig Jahren in diesem Beruf eingesammelt habe, könnte ich das ganze Haus damit tapezieren!" Er schaute sie ernst an. „Susan, du musst dich darauf einstellen, vor allem in den frühen Stadien deiner Karriere: Wenn du zehn Probeaufnahmen hast, kassierst du neun Absagen. Das gehört dazu, das ist vollkommen normal. Du musst lernen das hinzunehmen ohne an dir zu zweifeln. Nur wenn du das schaffst, hast du eine Überlebenschance auf der Krokodilfarm, die sich Unterhaltungsindustrie nennt.“ Er lehnte sich in seinem Sessel zurück und betrachtete sie wieder einmal mit einem fast väterlich-milden Blick. „Eigentlich bist du noch ein bisschen zu jung dafür, weißt du das? Und das Schlimme ist, dass niemand darauf Rücksicht nehmen wird. Du hast dich mit den Krokodilen eingelassen, jetzt wirst du ihre Zähne kennen lernen.“

„Die Leute von Stürmann Productions wirkten aber sehr nett“, warf Susan ein.

Philip schüttelte den Kopf. „Schätzchen, wir sind alle sehr nett – solange du nicht mit uns arbeiten musst. Wenn aber erst mal die Kameras laufen, zählt keine persönliche Sympathie, dann zählt kein Nettsein mehr, dann hast du einfach nur deinen Job zu machen. Und wenn du ihn nicht gut machst, ist Schluss mit lustig! Jede Minute im Studio kostet Geld und niemand, nicht einmal die ganz großen Stars in Hollywood, dürfen es sich erlauben, etwas davon zu verschwenden. Ich will dir keine Angst machen, aber du solltest darauf vorbereitet sein. Und lass dir den Rat geben: Wenn du das dringende Bedürfnis hast Rotz und Wasser zu heulen, verkneife es dir im Studio! Ich bin die nächsten sechs Wochen in München, also komm lieber her!“

„Du würdest mich trösten?“ Susan lächelte.

„Nein." Philip grinste. „Ich würde dich mit meinem Junior für ein oder zwei Stunden im Keller einsperren. Danach graust es dir vor gar nichts mehr, nicht mal vor deinem Regisseur!"

Genau in diesem Moment war Pit ohne anzuklopfen ins Zimmer geplatzt. Ohne Susan zu beachten, brüllte er wütend: „Rick Stürmann hat sie nicht mehr alle! Der tickt nicht richtig! Weißt du, wo er mich einsetzen will?"

„Erst mal guten Tag, mein Sohn", sagte Philip höflich und ein wenig amüsiert.

„Hallo, Phil, hallo, Susan!", grummelte Pit.

Philip grinste. „Und jetzt mal langsam: Was hat dein Chef dir angetan?"

„Du weißt doch, dass er mir versprochen hatte mich als Assi bei der großen Produktion mit Alexa einzusetzen, nicht?" Philip nickte, kam aber nicht dazu, etwas zu antworten, weil Pit schon weiterredete: „Jetzt meint er, es sei vielleicht nicht so toll, wenn ich mit meiner Mutter zu arbeiten hätte – und deswegen bin ich schon wieder bei Henning Thornow eingeteilt!" Er stemmte die Fäuste in die Hüfte. „Hast du Stürmann mal wieder geärgert oder wieso werde ich so gestraft?"

Susan hatte die Ohren gespitzt, als sie den Namen Henning Thornow hörte – das war doch der Regisseur von „Gute und schlechte Tage"? Und Pit sollte Assistent dort werden? Himmel, das war doch nicht möglich! Der Gedanke, auch noch im Studio mit Pit, dem miesepetrigen Pit, konfrontiert zu werden, trieb

Susan den Schweiß auf die Stirn. Wahrscheinlich würde der mit nichts, was sie tat, zufrieden sein und würde sie den ganzen Tag lang nur quälen!

„Erstens habe ich Stürmann nicht geärgert – das können deine Mutter und du schon ganz alleine!" Philip grinste. „Zweitens ist keine Produktion so mies, dass man nicht was dabei lernen kann. Und drittens brauchst du, wenn ich mich richtig erinnere, eine Möglichkeit, erst mal ins Geschäft einzusteigen! Darum wirst du bei ‚Gute und schlechte Tage' dein Bestes geben – oder etwa nicht?"

„Ja, klar ..." Pit klang nicht gerade überzeugt. Er schielte zu Susan hinüber. „Warum habe ich das seltsame Gefühl, dass du auch nicht gerade begeistert davon bist, dass wir demnächst zusammen arbeiten werden?"

„Wahrscheinlich weil du damit goldrichtig liegst", gab Susan prompt zurück, biss sich dann aber auf die Zunge. Sie wollte nicht schon wieder vor Philip mit Pit streiten. Warum schaffte der es immer, sie wütend zu machen, kaum dass er den Mund aufgetan hatte? Das konnte bei den Dreharbeiten ja heiter werden!

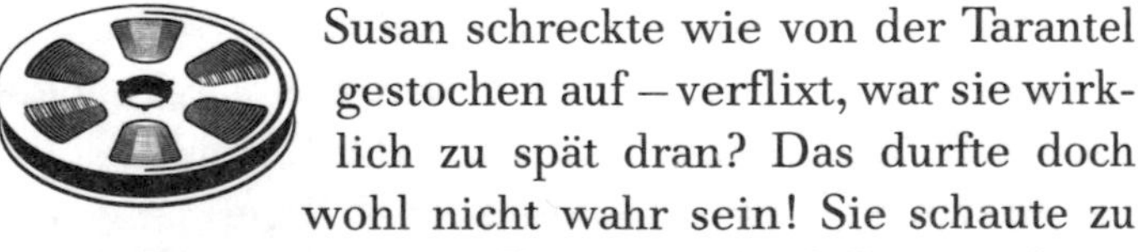

Susan schreckte wie von der Tarantel gestochen auf – verflixt, war sie wirklich zu spät dran? Das durfte doch wohl nicht wahr sein! Sie schaute zu ihrem Wecker hinüber. Kurz nach fünf. Brrr, sie hatte geträumt verschlafen zu haben! Und das an ihrem ersten Drehtag!

Der Gedanke daran reichte schon um nervös zu werden. Ihr Magen faltete sich zu einem schmerzhaften kleinen Knoten zusammen, ihr Mund war so staubtrocken wie der Boden eines frisch eingestreuten Papageienkäfigs. Sie brauchte dringend einen Schluck Mineralwasser!

Mit einem kleinen Seufzer erhob sie sich, angelte mit den Zehenspitzen ihre Schlappen unter dem Bett hervor und schlurfte gähnend über den Flur Richtung Küche. Im Kühlschrank fand sich nicht nur Sprudel, sondern sogar noch ein Rest Eistee. Sie goss sich ein Glas ein und hockte sich auf das Fensterbrett.

Der erste Drehtag. Was würde sie erwarten? Natürlich, sie wusste, was sie zu spielen hatte: Sie war Sandra, die Tochter eines Geschäftsfreundes der „Gute und schlechte Tage"-Familie Elmenhorst, die bei den Elmenhorsts die Ferien verbrachte. Sandra hatte nicht viel mehr zu tun, als da zu sein und den von Julian van Eycken dargestellten Leon Elmenhorst anzuhimmeln. Was wiederum einen Streit auslöste zwischen ihm und seiner Serienfreundin Carina, dargestellt von der Schauspielerin Jasmin Bonten. Insgesamt würde Susan keine zehn Minuten innerhalb der einstündigen Folge auf dem Bildschirm zu sehen sein – und beim Lesen des Drehbuches hatte sie sich ein bisschen gewundert: Warum sollte sie für diese zehn Minuten drei Tage lang von morgens bis abends im Studio sein?

Natürlich, Philip hatte ihr erklärt, dass sie ziemlich viel proben musste. Und er hatte ihr erklärt, dass sie im Studio manchmal lange auf ihren Auftritt zu warten haben würde.

„Nimm dir ein Buch mit, damit du dich nicht langweilst", hatte Philip ihr geraten. Susan hatte brav genickt, aber gedacht: Das werde ich wohl nicht brauchen. Im Studio gibt es so viel zu sehen – da werde ich doch nicht lesen!

Ja, sie kannte ihre Rolle und sie hatte ihren Text gelernt. Sie hatte ihn die ganze Woche, seit sie das Drehbuch bekommen hatte, immer wieder gelernt. Es waren nur zwanzig Zeilen und vor zwei Tagen hatte sie gedacht, sie würde jede davon im Schlaf beherrschen. Doch dann hatte Philip den Text hören wollen – und Susan war prompt ins Stottern gekommen! Er war unerbittlich gewesen.

„Hör mal, Mädchen, übermorgen musst du das vor der Kamera können! Und zwar beim ersten Versuch, ohne Stottern, ohne hängen zu bleiben! Und darum werden wir das jetzt bimsen, bis du es rückwärts singen kannst."

Zwei Stunden lang hatten sie nichts anderes getan, als diese zwanzig Zeilen zu repetieren, Philip hatte an jedem Wort herumgefeilt und dazwischen immer wieder geklagt, dass er sie viel lieber „gründlich" ausgebildet hätte. Susan hatte sich danach gefühlt wie nach einem Marathonlauf und zum ersten Mal, seit sie bei ihm in die harte Schule ging, hatte sie danach bei Annkathrin gejammert.

„Der macht mich echt fertig“, hatte sie gesagt.

Annkathrin hatte sie ausführlich bedauert, aber gleich hinzugefügt: „Wahrscheinlich brauchst du das! Im Studio wird es bestimmt nicht lockerer ...“

„Das sagt er auch immer. Ach, Mensch, Annkathrin, langsam frage ich mich, ob es so eine gute Idee gewesen ist. Ich kann noch so wenig!“

„Mach dich nicht verrückt! Du schaffst das schon. Du bist gut!“

„Findet Philip nicht. Und Pit findet mich sogar grässlich!“

„Pit ist selber grässlich, nach allem, was du mir von ihm erzählt hast“, hatte Annkathrin kühl gesagt. „Aber ich werd morgen ganz fest an dich denken und dir die Daumen drücken.“

Das hatte getröstet und so war Susan schließlich etwas beruhigt ins Bett geklettert. Geschlafen hatte sie allerdings nicht gut. Sie war zweimal aufgewacht, weil sie geglaubt hatte, verschlafen zu haben.

Jetzt, kurz nach fünf, würde sie am besten gar nicht wieder ins Bett gehen, sondern stattdessen duschen, noch einmal ihren Text lesen und sich dann langsam aufs Studio vorbereiten. Um sieben Uhr sollte sie dort sein, ihr Vater würde sie hinfahren. Hoffentlich blieb er nicht im Stau auf dem Ring stecken. Max Bernardin hatte die üble Angewohnheit, immer etwas zu spät loszufahren und dann wie ein Verrückter durch die Stadt zu rasen. Aber heute Morgen würde er rechtzeitig starten – Susan würde dafür sorgen!

Sie stellte ihr leeres Glas in die Spülmaschine und kletterte die Treppe wieder hinauf. Duschen, anziehen – apropos anziehen: Was sollte sie anziehen? Mit skeptischer Miene stand sie vor ihrem Kleiderschrank. Natürlich, im Studio – oder „auf dem Set", wie Philip sagte – würde sie nach den Wünschen des Regisseurs ausgestattet werden. Hoffentlich hatte der nicht einen so miesen Geschmack wie sein reizender Assistent Pit! Der würde sie garantiert in so ein graues Mehlsack-Shirt packen, wie er es selbst mit Vorliebe trug. Aber da sie ja kaum im Nachthemd dort antreten konnte, musste sie jetzt etwas Passendes finden. Sie war sich nicht sicher: etwas Bequemes wie Jeans und T-Shirt? Oder lieber das neue Sommerkleid, das ihr angeblich so gut stand? Vielleicht sollte sie auch einen Pullover mitnehmen, falls es kühl wurde? Sie entschied sich für das Sommerkleid in ihrer Lieblingsfarbe, einem coolen Fliederton. Es war schön leicht und ließ ein großes Stück von ihren hübschen, gut gebräunten Beinen sehen. Wie hatte Philip gesagt? Es sei ein Vorteil, hübsch zu sein …

Susan schaute skeptisch an sich hinunter – doch, ja, den Anspruch zumindest konnte sie erfüllen. Wenn sie bloß nicht so nervös wäre! Sie schaute zum Bett hinüber, auf dem ihr Teddybär Winnie saß. Winnie war schon etwas abgegriffen – kein Wunder, er war schließlich schon fünfzehn Jahre lang Susans Teddybär!

Susan griff nach ihm und legte ihn vor sich auf ihren Schoß.

„Na, du Bär?“, sagte sie. „Kannst du nicht für mich ins Studio gehen? Ich fürcht mich nämlich ein bisschen ...“

Natürlich antwortete Winnie nicht, aber immerhin musste Susan über sich selbst lachen und beschloss, Winnie ins Studio mitzunehmen. Zu wissen, dass er in ihrem Rucksack war, würde ihr sicher ein gutes Gefühl geben.

Genau zehn Minuten vor sieben hielt der helle Kombi von Susans Vater vor dem Tor des Studios an. Max Bernardin lächelte zu seiner etwas blassen Tochter hinüber.

„So, da wären wir. Pünktlich auf die Minute, wie die Lady gewünscht hat.“

„Danke, Papa.“ Susan schnappte ihren Rucksack vom Rücksitz und lächelte tapfer zurück.

„Aufgeregt, Prinzessin?“

„Ziemlich“, gab sie zu.

Er strich mit einem Finger zärtlich über ihre Wange.

„Du machst das schon, meine Große!“ Skeptisch schaute er an den grauen Betonhallen entlang, die unter ihren Wellblechdächern in der Sonne brüteten. „Ich habe ja immer gedacht, Film und Fernsehen hätten was mit Glamour und Gloria zu tun – aber wenn ich mir das hier so anschaue ... das wirkt eher wie eine stinknormale Fabrik.“

„Es ist eine Fabrik. Eine Fabrik, in der Film und Fernsehen hergestellt wird.“

„Am Fließband?"

„Das werde ich heute rauskriegen!" Susan lächelte, gab ihrem Vater einen Kuss auf die Wange und kletterte aus dem Auto. „Mach's gut, Dad!"

„Du auch – und ruf an, wenn du heute Abend abgeholt werden willst!"

„Ich nehm die Straßenbahn."

„Blödsinn! Filmstars fahren nicht mit der Straßenbahn – und bis du dir einen eigenen Chauffeur leisten kannst, mache ich das." Er grinste, hupte noch einmal und fuhr mit einem schwungvollen Bogen wieder zurück auf die Straße.

Susan atmete tief durch und trabte, ihren Rucksack über einer Schulter, auf das Pförtnerhäuschen zu. Ein offener, knallroter Sportwagen düste an ihr vorbei, am Steuer ein junger Mann mit wehenden dunklen Haaren, neben ihm ein rothaariges Mädchen. Offensichtlich waren Wagen und Fahrer dem Pförtner bekannt, er hob die Hand, drückte auf seinen Knopf und ließ den Wagen durch die Schranke. Susan meinte, im Fahrer Julian van Eycken erkannt zu haben, und beneidete ihn fast ein bisschen darum, wie selbstverständlich er eingelassen wurde.

Nun stand sie vor dem Pförtnerhäuschen, räusperte sich und sagte mit etwas quietschiger Stimme: „Hallo, ich bin Susan Bernardin. Ich fange heute bei Stürmann Productions an."

„Willkommen!" Der Pförtner lächelte und blätterte in einer Liste. Offensichtlich fand er darin, was er gesucht hatte, jedenfalls sagte er: „Halle 12 – melden Sie sich bitte bei Frau Meyer!“

Susan sah sich Hilfe suchend um. Für die Probeaufnahmen war sie in der Innenstadt in einem Büro der Produktionsfirma gewesen. Diese Hallen sah sie nun zum ersten Mal und sie war sich nicht sicher, wo sie Halle 12 finden würde. Doch, halt, an den Gebäuden waren ja Nummern angebracht! Susan nickte dem Pförtner zu und trabte an, den Weg zwischen den Bäumen hinunter. Ein Stück von ihr entfernt führte eine Straße durch das Gelände, ein Laster rangierte darauf, ein kleiner Lieferwagen mit der Aufschrift „Munich Catering“ hupte gegen ihn an, während ein dunkler Mercedes mit verspiegelten Scheiben geduldig wartete. Wer da wohl drinsaß? Susan war sicher, dass in diesem Luxusmobil irgendein Star aufs Gelände gekarrt wurde – und fühlte sich zu Fuß plötzlich wieder sehr klein.

Endlich, nach einem ziemlich langen Fußmarsch, kam sie bei Halle 12 an. Es war ein großer Backsteinbau mit einem Flachdach, fast abweisend, die lange Front nur durch ein paar große, offene Metalltüren aufgelockert. Vor einer davon standen ein paar rauchende Männer, die sich nicht sonderlich für Susan zu interessieren schienen. Sie holte tief Luft und trat näher.

„Entschuldigung, können Sie mir helfen? Ich suche Frau Meyer.“

„Die dürfte in der Maske sein“, sagte einer der Männer und ein anderer fügte hinzu: „Die Maske finden Sie, wenn Sie quer durch die Halle und auf der anderen Seite wieder rausgehen – das Gebäude hinter den Wohnwagen!“

Susan betrat die Halle. Zu ihrem Erstaunen war es im Inneren kühl und dämmrig, allerdings lag ein strenger Geruch in der Luft, der sie an die Schulturnhalle erinnerte – abgestandener Schweiß, Gummi und etwas Muffiges. Susan stolperte im Halbdunkel über eine Schiene und erschrak über etwas, das plötzlich neben ihr aufragte. Sie erkannte eine Metallkonstruktion und obenauf eine kleine Bühne, auf der eine Kamera auf ihren Einsatz wartete. Eine weitere Kamera war dicht daneben, sie stand auf Schienen und war mit einem Tuch verkleidet.

Susan musste sorgfältig auf ihre Füße achten, weil überall Kabel und Gleise lagen, dazwischen hatte sich allerlei Staub und Dreck angesammelt. Doch nun kam ein Teil der Dekoration in Sicht, nur durch eine kleine Arbeitslampe darüber erkennbar. Susan sah das Wohnzimmer der Elmenhorsts, das sie so oft im Fernsehen bewundert hatte. Die Couch, das Regal, die zart gelb tapezierte Wand mit dem modernen Gemälde – aber wo war der Esstisch? Im Fernsehen sah es immer so aus, als ob er direkt neben der Sitzecke stehen würde. Susan drehte den Kopf und entdeckte die restliche Dekoration ein paar Meter entfernt. Wie das Wohnzimmer stand sie etwas erhöht, nur von einer kleinen Lampe erhellt und von hohen, mit grauem Schaumstoff verkleideten Wänden umgeben. Ein gelangweilter Arbeiter in grauem

Kittel kniete neben dem Esstisch und rupfte Klebestreifen vom Teppichboden. Die Reste warf er einfach hinter sich. Susan grüßte freundlich zu ihm hinüber, doch er ließ sich nicht ablenken.

Plötzlich wurde es um sie herum gleißend hell – so hell, dass sie erst geblendet war und die Hand über die Augen legte, bevor sie sich traute in das Licht zu blinzeln. Von irgendwoher aus dem Dunkel der Halle tönte eine Stimme, die ihr ungefähr so angenehm war wie das Kratzen von Fußnägeln auf Linoleum: „Na, Fräulein Bernardin? Bisschen spät dran heute?"

Pit! Natürlich Pit! Wer sonst hätte sie so giftig begrüßen können?

„Wenigstens bist du pünktlich", rief Susan wütend. „Und wenn du mir verrätst, wo ich Frau Meyer finde, könnte ich dich sogar nützlich finden!"

Ein gelber Lichtpunkt erschien vor ihr und tastete sich über Kabel und Schienen hinweg auf die nächste Dekoration zu.

„Folge einfach dem Licht!", empfahl Pit, immer noch aus der Dunkelheit.

„Ui – du kannst schon mit dem Licht umgehen? Toll!", lobte Susan ironisch. Sie war aber doch dankbar, dass er ihr den Weg erhellte. Wo er wohl steckte? Er musste irgendwo ziemlich weit oben in der Halle sein um das Licht zu steuern. Andererseits klang seine Stimme, als ob er ganz in der Nähe wäre!

„Pit, ist deine kleine Freundin inzwischen da?" Die weibliche Stimme kam vom anderen Ende der Halle.

Susan war nahe dran, ein heftiges „Ich bin nicht Pits kleine Freundin!“ dagegenzuhalten, doch bevor sie den Mund öffnen konnte, hörte sie schon Pit:

„Ja, sie hatte sich bloß ein bisschen verlaufen.“

Eine Frau in bequemer blauer Latzhose, die Brille in die kurz geschnittenen, weißblonden Haare geschoben, trat ins Licht und lächelte Susan entgegen.

„Sorry, wir hätten dich an der Pforte abholen sollen. Aber wir haben eine Außenaufnahme vorzubereiten.“ Sie streckte Susan die Hand hin. „Ich bin Friederike Meyer und kümmere mich um die Organisation hier. Du kannst mich ‚Fritzi‘ nennen.“

„Entschuldigung!“, sagte Susan schüchtern. „Ich habe nicht gewusst, dass ich von der Pforte bis hierher so lange brauchen würde.“

„Wie bist du denn hergekommen?“

„Mein Vater hat mich gefahren.“

„Wenn du nachher in der Maske durch bist, kannst du dir im Büro bei unserer Sekretärin einen Einfahrtsschein geben lassen, dann kann er dich morgen direkt vor die Halle karren!“, sagte Friederike. „Für heute ist es nicht schlimm. Dich brauchen wir sowieso nicht vor neun Uhr. Wir machen gerade eine Außenaufnahme und müssen die Sonne nützen, solange sie nicht zu hoch steht.“ Friederike Meyer schaute auf die Uhr. „Verzeih, ich bin ein bisschen in Eile.“ Sie öffnete eine Tür, die ins Freie führte. Susan sah eine Reihe von Wohnwagen, die vor einem flachen, weißen Gebäude standen.

Friederike Meyer deutete darauf. „Das da drüben

ist unsere Schneiderei. Da werden alle Klamotten aufbewahrt, die wir für die Serie brauchen. Solange du hier arbeitest, wird das immer deine erste und letzte Station sein: Du gehst morgens hin, bekommst deine Kleider ausgehändigt und angezogen. Abends gibst du sie dort wieder zurück. Eines der Mädels dort ist informiert und weiß, was du anzuziehen hast. Wenn sie mit dir fertig ist, gehst du in die Maske – wo das ist, sagen dir die Gardobieren. Dort richtet man dir die Haare und schminkt dich. Falls ich mich bis dahin nicht wieder gemeldet habe, kannst du dich gegenüber der Maske hinsetzen. Da stehen ein paar Stühle rum und da gibt's auch was zu trinken und zu essen. Und jetzt entschuldige mich, ich muss zurück zur Außenaufnahme!" Sie drehte sich um und brüllte lauthals: „Pit – kommst du mit? Wie ich Henning kenne, braucht der dich bald!"

Susan schaute Pit, der hinter Friederike in einen kleinen Elektrowagen stieg, fast bedauernd nach. Immerhin kannte er sich aus auf dem Set und war mit einigen Leuten hier gut bekannt. Susan wäre froh gewesen ihn noch einiges fragen zu können. Aber es sollte nicht sein und so marschierte sie gehorsam in den Flachbau hinüber.

Im Gegensatz zu der Halle, in der es so still gewesen war, schien in der Garderobe ziemlich viel los zu sein. Laute Musik dröhnte über den Flur. Eine junge Frau, in knallenges, knallrotes Leder gekleidet, balancierte auf den höchsten Plateausohlen, die

Susan je gesehen hatte, mit einem Stapel Kleider über dem Arm an ihr vorbei. Dabei hatte sie ein Handy ans Ohr geklemmt und diskutierte aufgeregt mit jemandem. Eine rundliche ältere Frau in einer blauen Kittelschürze, ein Steckkissen am Arm und ein Maßband um den Hals, eilte an Susan vorbei und rief lauthals: „Wo, verdammt noch eins, steckt dieser Mistkerl schon wieder? Glaubt der eigentlich, ich laufe ihm wegen seiner zu kurzen Hosen dauernd durch den ganzen Betrieb nach?“ Sie registrierte Susan, lächelte kurz und grunzte: „Falls du die Neue bist, geh ganz schnell nach hinten! Die warten schon auf dich!“

Susan beschleunigte ihren Schritt, musste aber einem jungen Mann in einem Overall aus pinkfarbener Fallschirmseide ausweichen, der mit einem Aktenkoffer unter dem Arm und einem Puderpinsel hinter dem Ohr Richtung Tür tänzelte.

„Hallo!“, sagte Susan freundlich.

„Oh, hallo!“, gab er strahlend zurück. „Bist du Pits kleine Freundin?“

Zum Kuckuck, warum wurde sie das nun schon zum zweiten Mal gefragt? Würdevoll antwortete sie: „Ich bin eine Schülerin seines Vaters, aber deswegen noch lange nicht seine Freundin.“

„Schade für ihn!“, befand der Dunkelhaarige. „Übrigens, ich bin Fabio, Assi von unserem Maskenbildner Charly – und darum muss ich jetzt wetzen. Auf dem Außenset sind ein paar Nasen nachzupudern. Ciao!“ Mit einem fröhlichen Winken verschwand er. Susan schielte durch eine offene Tür in einen Raum, der mit voll gepackten Kleiderständern zugestellt war.

„Hallo?“, rief sie vorsichtig hinein.

„Hmm?“, antwortete es aus dem Hintergrund, dann tauchte eine schmale Gestalt auf, ein Bügeleisen in der Hand.

„Ich bin Susan Bernardin und ich soll mich in der Garderobe melden.“

„Dann bist du bei mir richtig.“ Die junge Frau stellte das Bügeleisen ab und kam vollends hinter einem Kleiderständer hervor. Sie streckte Susan die Hand hin, dabei musterte sie das Mädchen, als ob sie es kaufen wollte. „Ich bin Juliane, zuständig für die Gäste in der Sendung. Lass dich mal anschauen – Größe 36, richtig?“

„Ja“, bestätigte Susan. „Jeans brauche ich allerdings manchmal längere ...“

„Das kriegen wir schon hin!“ Noch ein Blick von oben nach unten. „Das Kleid steht dir, aber vor der Kamera wäre das nichts, das ist zu leicht. Wir drehen ja eine Herbstszene. Unser Regisseur meint, ich soll dir eine schwarze Hose und einen blauen Pulli verpassen. Außerdem kriegst du einen Anorak, den bringe ich dir aber erst nachher, wenn du aufs Set musst – nicht, dass es dich bis dahin darin zerreißt in der Hitze.“ Sie drehte sich um und angelte eine Hose aus einem der bis unter die Decke reichenden Regale, faltete sie auseinander und schaute sie skeptisch an. „Das Ding müsste eigentlich passen.“

Susan stand da und wusste nicht, was sie nun tun sollte. Einfach ausziehen? Offensichtlich erwartete man das von ihr. Nun gut, sie stellte ihren Rucksack in eine Ecke, streifte ihre Schuhe ab und zog ihr Kleid aus. In BH und Höschen stand sie vor der Gardobiere, die sie mit einem kleinen Lächeln betrachtete.

„Nicht schlecht, deine Figur! Da kann man einiges draus machen.“ Sie warf Susan die Hose zu, fischte dann einen blauen Pullover aus dem Ständer, schaute ihn an und hängte ihn wieder zurück. „Ne, das ist nichts. Das Blau ist zu blass.“ Sie suchte weiter, betrachtete eine rote Bluse, dann eine wild gemusterte und entschied sich schließlich für ein Sweat-Shirt in kräftigem Aquamarin. „Das könnte hinhauen, probier mal!“

Susan hatte mittlerweile die Hose übergezogen. Sie war ein bisschen eng, Susan musste den Bauch einziehen um den Reißverschluss schließen zu können.

„Das ist Mist!“, fand Juliane. „Warte, ich hol dir eine andere.“ Susan bekam das Sweat-Shirt in die Hand gedrückt. Juliane sauste in affenartiger Geschwindigkeit an einer Leiter hinauf, fand im obersten Regalfach eine andere schwarze Hose und warf sie Susan zu. „Die müsste passen.“ Mit einem Satz war sie wieder unten. „Was hast du für eine Schuhgröße?“

„37“, sagte Susan, etwas undeutlich, weil sie gerade den Pullover über den Kopf zog.

„Hmmm ... und was nehmen wir da? Du bist ziemlich groß, also solltest du nicht zu viel Absatz haben, sonst sehen unsere Männer wieder zu popelig aus. Wie wär's mit Turnschuhen? Magst du die?“

„Gerne“, sagte Susan und bedauerte fast, ihre eigenen, so gut eingetretenen, nicht mitgebracht zu haben. Die neue Hose passte perfekt, sie war sogar richtig bequem. Und auch der Pullover gefiel Susan. Sie schaute an sich hinunter und dachte: Wenigstens werde ich mich mit dem Outfit nicht blamieren!

Juliane war inzwischen schon wieder an ihrem Regal entlanggespurtet und kam mit einem Schuhkarton wieder. „Probier die mal an – und wenn sie dir passen, schreib deinen Namen erst auf die Schachtel und dann innen auf die Zunge. Wir wollen ja nicht, dass morgen jemand anders in deinen Schuhen rumläuft!“

„Was passiert mit denen, wenn ich hier durch bin?“, fragte Susan neugierig.

„Wir heben sie ein halbes Jahr lang auf – bis wir sicher sein können, dass du in ihnen wirklich nicht mehr gebraucht wirst. Dann werden sie ausgemustert. Klamotten werden gereinigt, eventuell geändert und wieder in den Fundus eingereiht, Schuhe schmeißen wir weg.“

„Dann wird hier wohl einiges an Schuhen verbraucht?“

„Darauf kannst du wetten!“ Juliane fädelte einen Gürtel in Susans Hose, während die sich bemühte, die Schuhe zuzubinden. Als sie sich aufrichtete, sagte

Juliane zufrieden: „Sieht gar nicht schlecht aus! Allerdings …“, sie fasste mit sicherem Griff an Susans Kehrseite und zupfte daran, „da muss noch ein Stich dran. Steh mal still und zieh den Bauch ein!“ Susan spürte, wie die Hose enger wurde, dann richtete sich Juliane wieder auf. „So ist's okay, wenigstens für heute. Wenn wir die Hose morgen noch mal brauchen, muss ich mit der Maschine was machen.“ Sie schnappte Susans Sommerkleid, hängte es über einen Bügel und ans Regal. „Wir passen auf deinen Fummel gut auf, keine Sorge!“

Susan trat von einem Bein auf das andere.

„Ich soll in die Maske, wenn ich hier fertig bin“, sagte sie.

„Hmm“, machte Juliane. „Aber wenn ich den Drehplan richtig im Kopf habe, kommen die eh nicht vor zehn vom Außenset zurück. Ich würde an deiner Stelle erst mal einen Kaffee trinken. Es reicht, wenn du um neun in der Maske bist. Du musst nicht den ganzen Morgen mit der Schminke im Gesicht rumhängen.“ Sie hatte offenkundig noch zu tun und schnappte wieder ihr Bügeleisen, das im Hintergrund wartete. Susan hob ihren Rucksack auf.

„Entschuldige – wo ist denn die Maske?“

„Hinten in diesem Flur, es steht an der Tür! Und – lass dich von den Verrückten dort nicht nerven!“

„Danke.“ Susan wandte sich zur Tür. Als sie fast schon auf dem Flur war, fiel Juliane noch etwas ein: „Übrigens: Willkommen bei der Chaos-Produktion! Ich hoffe, du fühlst dich hier wohl.“

„Danke“, wiederholte Susan. Ob sie wirklich erst Kaffee trinken sollte? Ihr war eigentlich nicht danach. Sie war stattdessen gespannt, was in der Maske mit ihr geschehen würde. Aber sollte sie Julianes guten Rat in den Wind schlagen? Sie beschloss einfach in der Maske zu fragen und trottete den Flur hinunter. Die Musik hatte inzwischen gewechselt – vorher hatte „Queen“ aus vollen Rohren gedröhnt, jetzt gab es Rap, nicht unbedingt schön, aber dafür schön laut.

Susan las die Aufschriften an den Türen. Endlich, die dritte, die sie erreichte, trug ein Schild, auf dem in schwungvoller Schrift „Maske“ stand. Susan klopfte, doch von innen antwortete niemand. Sie wunderte sich nicht darüber – die Musik war ja laut genug, wahrscheinlich hatte niemand ihr schüchternes Anklopfen gehört. Also schob sie sich in den Raum und entdeckte, dass er leer war. Sie sah sich um: An der einen Wand hing ein Spiegel neben dem anderen, davor standen Stühle wie beim Friseur. Über einem hing sogar ein pinkfarbener Kunststoffumhang – Susan fühlte sich an den oberbayrischen Dorffigaro erinnert, den ihre Großmutter jeden Freitag besuchte. Der würde es hier gefallen, denn es gab sogar Trockenhauben! Doch wahrscheinlich würde sie über die Unordnung meckern, denn auf den Tischen unter den Spiegeln lag alles durcheinander: Schminkpinsel in allen Größen, offene Puderdosen, Farbpaletten, Kajalstifte, ausgedrehte

Lippenstifte, Haarspraydosen und Gelflaschen. Das Sammelsurium wurde durch Coladosen, halb leere Kaffeetassen und überquellende Aschenbecher vervollständigt. Auf einen der Spiegel war mit Lippenstift geschrieben: „Die ganze Welt ist ein Irrenhaus – und hier ist das Zentrum!“

Susan grinste und stellte ihren Rucksack auf einen der Stühle. An der Rückwand des Raumes waren jede Menge Fotos angepinnt. Susan betrachtete sie interessiert. Die meisten davon zeigten diverse Monster und Aliens aus Sciencefictionfilmen. Susan studierte gerade einen grimmig aussehenden Klingonen, als sich die Tür öffnete und ein rundlicher Mann auf bequemen Latschen hereinschlappte.

„Hallo. Bist du die Neue?“, fragte er.

„Ja, ich bin Susan Bernardin.“

„Ich bin Charly ...“, knurrte der Mann. „Dann setz dich mal.“ Er deutete auf einen Stuhl und knipste einen Punktstrahler an, der über dem Spiegel angebracht war. Susan, die sich niedergelassen hatte, blinzelte.

„Mhmm“, machte sie ablehnend. Charly schien das nicht zu stören. Er betrachtete sie intensiv, knurrte etwas Unverständliches und fasste dann in ihre Haare.

„Bisschen weich, was?“

„Eigentlich bin ich zufrieden.“

„Hmm.“ Er klang nicht begeistert, sondern hielt stattdessen mit nachdenklicher Miene einige ihrer Strähnen nach oben und betrachtete sie, als ob sie etwas ziemlich Widerliches wären. „Echt blond?“, fragte er.

„Natürlich!“, sagte Susan, fast ein wenig empört.

„Gut“, fand er. „Aber die Frisur ist scheußlich.“ Susan war bisher eigentlich mit ihren langen Locken recht zufrieden gewesen und wollte schon protestieren, hielt sich dann aber doch lieber zurück. Solange er nicht nach der Schere griff, würde sie friedlich bleiben. Der Maskenbildner strich die Haare zurück und befestigte sie mit einer Klammer.

„Haare später“, verkündete er knapp. „Irgendeine Allergie?“, wollte er dann wissen.

„Ja, gegen Erdbeeren!“ Susan musste fast lachen über das nachdenkliche Gesicht, das sie im Spiegel hinter dem ihren erkennen konnte.

„Das ist uninteressant, ich schmiere dir keine Erdbeeren auf die Nase. Hautcreme oder so was?“

„Nicht dass ich wüsste.“

„Gut.“ Charly kippte kurzerhand ihren Stuhl etwas nach hinten, warf den pinkfarbenen Umhang über sie und tupfte ihr Creme auf die Stirn, die Nase und die Wangen. „Augen zu!“, kommandierte er.

Seine Finger standen im Gegensatz zu seinem schroffen Ton. Fast zärtlich streichelten sie über Susans Haut und massierten die Creme ein. Susan errötete. Sie fand es doch sehr ungewohnt, von einem fremden Mann so angefasst zu werden. Gleichzeitig ärgerte sie sich über ihre heißen Wangen – was Charly wohl über sie dachte? Sie hob ein Augenlid und blinzelte zu ihm hinauf. Sein Vollmondgesicht war völlig ausdruckslos, also schloss Susan das Auge wieder und überließ sich seinen kundigen Händen. Immerhin war dieser Teil der „Maske“ nicht unangenehm. Aber was würde jetzt noch kommen? Susan schminkte sich selten und wenn, dann nur mit einem Hauch Lipgloss und ein wenig Lidschatten. Doch Charly schien sich damit nicht begnügen zu wollen. Kaum hatte er einen Rest Creme abgetupft, begann er schon mit einem Schwämmchen Make-up aufzutragen. Dabei arbeitete er sich geschickt vom Haaransatz Richtung Kinn vor. Wieder kam ein Papiertuch zum Einsatz, dann kitzelte ein dicker Pinsel über Susans Haut. Sie bekam Puder in die Augen und begann zu niesen.

„Sorry“, sagte Susan.

„Schon gut ...“ Charly grunzte.

Inzwischen hatte Susan das Gefühl, dass Charly jede einzelne ihrer Poren zugekleistert hatte. Ob es Risse in der Fassade geben würde, wenn sie einen Muskel regte?

„Wird das abends abgesprengt?“, fragte sie vorsichtig.

„Ne, wir nehmen Salzsäure!“ Immerhin grinste Charly jetzt. „Das ist ziemlich viel Farbe. Muss aber sein, sonst siehst du im Licht aus wie ein Mehlwurm.“

„Ist schon okay“, antwortete Susan.

„Für dich schon – deine Haut ist gut. Die kann das ab.“ Charly schnappte eine seiner Paletten, tupfte mit dem Zeigefinger gegen Susans Wangenknochen, stellte die Palette dann wieder hin, richtete einen anderen Strahler auf Susan und dachte dann einen Moment nach. „Interessant“, stellte er abschließend fest.

„Was meinen Sie?“

„Deine Wangenknochen. Außerdem kannst du mich duzen – hier gibt’s nur zwei Leute, die gesiezt werden: Unser Herr Produzent und seine Heiligkeit, der Regisseur, Verkünder aller Weisheiten.“ Für Charlys Verhältnisse war das eine lange Rede gewesen und offensichtlich meinte er, danach seinen Wortverbrauch wieder einschränken zu müssen. Er verteilte großzügig Rouge auf Susans Wangenknochen, betrachtete sein Werk, brummte etwas und pinselte dann an ihrem Haaransatz weiter. Wieder ein nachdenklicher Blick und der Pinsel landete auf dem Kinn. „Hmm“, machte er abschließend, steckte sich den Pinsel in die Brusttasche seines Kittels und beugte sich über Susan um ihre Augen genauer zu betrachten. Er angelte nach einer anderen Farbpalette. „Augen zu und relaxen!“, befahl er.

Susan lehnte sich zurück und grinste in sich hinein. Anscheinend bestand ein großer Teil der Arbeit eines Schauspielers darin, „ganz locker“ zu bleiben – im Sprechunterricht, beim Stehen und jetzt auch noch in der Maske. Doch das Entspannen fiel gar nicht so leicht. Nun fing Charly auch noch an, ihre Wimpern zu tuschen! Himmel, wie sollte sie denn dabei relaxen? Ihre Lider begannen zu flattern, sie war sicher, dass sie gleich Tränen in den Augen haben würde, die seine ganze Arbeit zunichte machten!

Entspann dich, du blöde Suse!, befahl sie sich selbst. Andere lassen das jeden Tag dreimal über sich ergehen und stellen sich nicht so doof an! Immerhin, der Befehlston schien zu wirken. Jedenfalls knurrte Charly nicht, sondern tupfte, sehr geschickt und sanft, mit einem Kajal an ihrem Unterlid entlang. Susan hielt die Augen brav geschlossen, obwohl sie vor Neugierde, wie sie jetzt wohl aussah, schon fast platzte. Doch Charly war noch nicht fertig. Sie spürte, wie er einen weichen Stift an ihren Lippen ansetzte und sorgfältig die ganze Kontur nachzeichnete. Anschließend kam wieder ein Pinselchen zum Einsatz.

„Hmmm", brummte er abschließend, offenkundig zufrieden mit seinem Werk. Susan wagte es, die Augen zu öffnen und an ihm vorbei zum Spiegel zu schauen. Das Gesicht darin wirkte fremd, die Augen riesig, der Mund knallte in kräftigem Rot. Susan schluckte.

„Ich seh ja aus wie ein frisch verputzter Bauernhof im Allgäu", stellte sie etwas geschockt fest.

„Muss so sein – das Kameralicht schluckt Farbe", sagte Charly knapp. Susan guckte noch einmal, diesmal etwas weniger geschockt und mehr neugierig. Hatten ihre Augen schon immer so weit auseinander und leicht schräg gestanden? Sie konnte sich nicht daran erinnern, doch der Effekt gefiel ihr.

„Meine Augen – das sieht toll aus!", lobte sie.

„Hmm“, machte Charly, dabei lächelte er zufrieden.

„Wie hast du das gemacht?“

„Geht ganz einfach: Ein wenig Schatten außen drauf zieht die Augen auseinander. Wenn du das Gegenteil erreichen willst, schminkst du einfach ein bisschen mit Gelb innen. Damit kannst du einen total miesen Look hinkriegen. Da sieht selbst der coolste Filmstar wie ein schmieriger Versicherungsvertreter aus.“ Charly grinste breit und von plötzlichem Mitteilungsbedürfnis befallen setzte er hinzu: „Schade eigentlich für mich, dass du ein nettes Mädchen spielst. Ich würde gerne mal wieder ein richtiges Biest schminken – und dein Gesicht wäre nicht schlecht dafür! Du hast so einen Engelchen-Look, den man wunderbar rumdrehen könnte.“

Susan beschloss, seine Gesprächigkeit zu nutzen. „Arbeitest du schon lange hier?“

Er löste das Band aus ihren Haaren und begann, sie mit kräftigen Strichen zu bürsten. „Seit zwei Jahren, also seit diese Serie gestartet ist.“

„Und? Macht es dir Spaß?“

„Hmm ...“ Das klang wieder etwas ablehnend, wohl auch wegen der Haarklemme, die er sich kurzerhand zwischen die Lippen gesteckt hatte. Susan wollte das Gespräch in Gang halten und erinnerte sich an die Bilder hinter ihr. „Würdest du lieber für Sciencefiction arbeiten?“

„Klar!“ Charly hatte wohl die endgültige Frisur für ihre Haare gefunden, jedenfalls bürstete er sie nun zur Seite und begann einzelne Strähnen mit Spray zu fixieren. „Bei Scifi ist ein Maskenbildner wenigstens gefordert."

„Du meinst, wenn er irgendwelche Aliens zu schminken hat?"

Charly nickte.

„So ein Klingone oder so was – das macht schon Spaß! Ich würd gerne mal ein paar Aliens kreieren, ich hätte da jede Menge Ideen. Aber in Deutschland macht ja keiner anständige Scifi. Irgendwann geh ich nach Hollywood."

„Wirklich?", staunte Susan. „Glaubst du, du könntest dort arbeiten?"

„Manchmal suchen die Leute. Und wenn man entsprechende Connections hat, kann man da schon reinrutschen."

„Das wäre toll für dich, nicht?"

„Klar. Jeder hier träumt davon. Hollywood ist Big Business, und wir hier kochen halt im kleinen Fernsehsaft!"

Das Telefon, das Charly auf dem Fensterbrett abgelegt hatte, klingelte schrill. Charly grunzte unwillig, angelte nach dem Hörer, klemmte ihn ans Ohr und grummelte: „Maske hier –was ist denn schon wieder los?" Was er hörte, gefiel ihm offensichtlich gar nicht. „Kann der Typ sich nicht mal ordentlich ernähren?", maulte er. „Wenn der mit seiner Akne so weitermacht, nehm ich Gips zum Verputzen!" Er begann schon, eine Puderdose zuzuschrauben und

Make-up-Fläschchen in einen Korb zu stellen. „Ja, ich komme rüber. Gib mir noch eine Minute! Ich kann schließlich nicht fliegen." Er legte auf, schüttelte den Kopf und sagte zu Susan: „Sorry, ich muss weg. Es war nett, sich mit dir zu unterhalten. Wir sehen uns sicher später noch."

„Ja, danke ..." Susan stand auf und griff nach ihrem Rucksack.

„Ach ja", sagte Charly, schon halb in der Tür, „fass nicht an mein Kunstwerk! Haare raufen und Augen reiben ist nicht, okay?" Weg war er und ließ eine wieder einmal ratlose Susan zurück.

Was sollte sie nun tun? Ach ja, zur Sekretärin gehen, um sich einen Passierschein für den nächsten Tag zu besorgen. Und dann warten – wie lange wohl? Susan schaute auf die Uhr. Es war halb zehn.

Fast zwei Stunden lang hatte Susan, unter einem Sonnenschirm auf einem Klappstuhl sitzend, gewartet – und dabei mehr als einmal an Philips Rat gedacht, ein Buch mitzunehmen. Er hatte ja so Recht gehabt! Ihr war langweilig. Rund um die Halle gab es überhaupt nichts zu sehen. Wenn einmal in der Viertelstunde ein Arbeiter mit irgendeinem undefinierbaren Gerät unter dem Arm vorbeimarschierte, war das schon viel. Ansonsten herrschte Friedhofsruhe, die Halle und die daneben aufgestellten Wohnwagen wirkten wie ausgestorben.

Doch plötzlich, als Susan schon fast nicht mehr damit gerechnet hatte, war wilde Hektik ausgebrochen. Ein Jeep kam mit quietschenden Reifen um die Ecke, gefolgt von einem Kleinlaster, auf dessen Ladefläche drei Männer wild gestikulierten. Der Wagen hatte kaum angehalten, als sie bereits heruntersprangen und begannen, Kisten in Richtung Halle zu schleppen. Unterdessen surrte ein Elektrowägelchen mit drei Anhängern um die Halle herum. Susan erkannte Friederike am Steuer und neben ihr Pit, der vom Sitz sprang und zu einem anderen Wagen spurtete, der gerade vor der Halle anhielt.

Susan war plötzlich inmitten eines Ameisenhaufens – noch mehr Autos kamen und noch mehr Menschen, die durcheinander wuselten und Kabel und Mikrofone in die Halle schleppten. Ein zierliches, blasses Mädchen schnaufte schwer, einen riesigen Bildschirm in den Armen. Aus einem anderen Wagen stiegen Julian van Eycken, seine Partnerin Jasmin Bonten und Regisseur Henning Thornow.

Julian sah schlecht gelaunt aus. Seine sonst so strahlende Miene war düster, er maulte: „Warum soll eigentlich immer ich den Affen machen und mich mit Anfängern rumärgern?“

Susan errötete. Er stand nun fast neben ihr und sie hatte das Gefühl, dass sie mit dem „Anfänger“ gemeint war. Und tatsächlich, Henning Thornow lächelte sie kurz an, bevor er sich Julian zuwandte.

„Ich frage mich, was aus dir geworden wäre, wenn deine Kollegen vor drei Jahren auch so gedacht hätten."

„Ich war zu der Zeit kein totaler Anfänger mehr", sagte Julian und betonte dabei jedes Wort. Susan wäre am liebsten in den Boden versunken. Die Zusammenarbeit mit ihm fing ja gut an! Doch wieder bemerkte sie ein kleines Lächeln bei Henning Thornow. In Susans Richtung war es ein nettes Lächeln, als er sich wieder seinem Hauptdarsteller zuwandte, wurde es zunehmend kühl.

„Verzeih, dass ich deine umwerfende darstellerische Leistung als Modell bei der Windel-Werbekampagne damals nicht entsprechend gewürdigt habe." Jetzt drehte sich der Regisseur endgültig zu Susan und streckte ihr die Hand entgegen. „Susan", er deutete eine Verbeugung an, „... ich darf doch Susan zu Ihnen sagen?"

„Selbstverständlich." Sie nickte freundlich.

„Willkommen bei ‚Gute und schlechte Tage'! Ich freue mich, dass Sie mit uns arbeiten werden, und ich bitte um Vergebung für Julians Benehmen! Unsere Primadonna lässt heute den üblichen Charme doch etwas missen, was wahrscheinlich daran liegt, dass weder er noch ich mit seiner Leistung bei der Außenaufnahme zufrieden sein können."

Julian sah aus, als ob er protestieren wollte. Er kam aber nicht zu Wort, weil Jasmin Bonten sich vor ihn schob und nach Susans Hand griff, die der Regisseur inzwischen wieder losgelassen hatte.

„Hallo. Ich bin Jasmin – und ich freu mich, dass du da bist!"

„Danke. Ich find's riesig, dass ich hier mitmachen darf …"

„Warte mal, bis du eine Woche mit uns hinter dir hast – dann findest du es wahrscheinlich nicht mehr so riesig! Hier gibt's jede Menge Stress …"

Während Jasmin sprach, musterte Julian Susan – einmal von Fuß bis Kopf, dann von Kopf bis Fuß. Offensichtlich gefiel ihm, was er da sah. Jedenfalls klickte er sein strahlendstes Lächeln an – und Susans Knie wurden plötzlich weich! Dieses Lächeln! In seinen dunkelbraunen Augen unter den langen, geschwungenen Wimpern tanzten kleine, goldene Fünkchen, seine perfekten Zähne blitzten und die Stimme, mit der er Susan jetzt ansprach, tönte samtweich: „Hallo! Entschuldige, dass ich gerade so unausstehlich war – ich habe nicht dich speziell gemeint. Ich war grundsätzlich ein wenig sauer. Du siehst aus wie eine interessante Bereicherung für unseren Verein …"

Bevor Susan antworten konnte, schaltete sich Henning Thornow ein: „Genug geflirtet, Kinder – wir sollten wieder an die Arbeit gehen! Wenn wir so weitermachen, kommen wir nie hin mit unserem Drehplan." Er winkte und prompt stürzte Pit herbei, einen Ordner unter dem Arm, den er seinem Chef unter die Nase hielt. Thornow warf einen Blick hinein, dann kratzte er sich mit einem Finger hinter dem Ohr. „Die Bahnhofsszene machen wir Ende der

Woche. Heute ist erst mal die dran, in der Sandra – also Sie, Susan – und Carina das erste Mal aufeinander treffen. Susan, Sie wissen, worum es geht?"

„Ja." Susan nickte. Der Regisseur schaute sie erwartungsvoll an, dann sagte sie etwas unsicher: „Carina denkt, Sandra sei in Leon verknallt ..."

„Richtig." Thornow lächelte.

„Äh ... darf ich was fragen?", fügte Susan hinzu.

„Selbstverständlich!"

„Ist Sandra wirklich in Leon verknallt oder denkt Carina das bloß?" Die Frage hatte Susan die ganze Zeit beschäftigt, denn immerhin machte es ja einen Unterschied, ob sie eine Verliebte oder nur einen freundlichen Besuch zu spielen hatte. Doch anscheinend war ihre Frage schwer zu beantworten.

Thornow kratzte sich noch einmal am Kopf und schaute Pit Hilfe suchend an.

Der grinste ein wenig schräg: „Das weiß wahrscheinlich keiner so genau ..."

Susan war etwas verwirrt. Wussten die denn nicht, wie es in ihrer eigenen Serie weiterging? Sie hatte immer gedacht, dass die Irrungen und Wirrungen in den TV-Serien schon wochenlang voraus festgelegt waren! Immerhin wusste sie schon, was nächste Woche passieren würde: Leon, wütend wegen Carinas Eifersuchtsszene, würde aus Trotz mit Sandra eine Diskothek besuchen und dort, vor den Augen der immer wütender werdenden Carina, mit Sandra flirten. Schließlich würde Carina ihm mitten auf der Tanzfläche eine kleben, womit die Beziehung der beiden fürs Erste beendet sein würde. Ob und wie es dann allerdings zwischen Sandra und Leon weiterging, schien wirklich in den Sternen zu stehen. Susan betrachtete fragend den Regisseur, dann Pit und dann die mittlerweile hinzugekommene Fritzi.

Thornow atmete tief durch. „Tja ... wie soll ich das jetzt erklären?"

„Probier's doch mal mit der Wahrheit." Fritzi lächelte Susan an und legte ihr kurz eine Hand auf den Arm. „Du darfst das nicht persönlich nehmen, aber wir können nach einer einzigen kleinen Probeaufnahme noch nicht sagen, wie gut jemand vor der Kamera ist. Darum lassen wir uns gerne in der ersten Woche mit ihm alle Möglichkeiten offen."

„Was konkret bedeutet ...", fuhr nun Thornow fort, „dass wir über Sandra und Leon erst dann entscheiden, wenn wir wissen, wie gut ihr zwei miteinander harmoniert."

„Hmm." Susan nickte. Sie hatte verstanden – und musste kurz schlucken. Thornow hatte es freundlich ausgedrückt: „Wie gut ihr miteinander harmoniert." Gemeint hatte er aber wahrscheinlich etwas anderes: Es kam ganz allein darauf an, wie gut sie war. Wenn sie in der ersten Woche als „Sandra zu Besuch" nicht überzeugte, dann bekamen die Drehbuchschreiber wahrscheinlich den Auftrag Sandra wieder abreisen zu lassen, womit dann auch Susans Gastspiel bei „Gute und schlechte Tage" beendet sein würde.

Aber so leicht würde man sie hier nicht loswerden! Susan beschloss, um ihre Rolle und um ihren Platz in der Serie zu kämpfen! Wie hatte Philip gesagt? „Es ist hängt alles von dir selbst ab, du musst dich bewähren. Niemand kann dir dabei helfen und niemand wird Rücksicht auf dein zartes Alter nehmen." Jetzt begriff sie, was er gemeint hatte.

Susan rekapitulierte kurz den Text, den sie in dieser Folge zu sagen hatte. Nein, da war nichts, was über Sandras Gefühle für Leon Aufschluss geben konnte. Deswegen hatte sie den Regisseur ja gefragt! Aber jetzt kam ihr eine Idee. Sie nagte kurz an ihrer Unterlippe und dann beschloss sie, einfach zu sagen, was sie dachte. „Könnte es nicht sein, dass Sandra erst wegen Carinas Theater anfängt über ihre Beziehung zu Leon nachzudenken? Vielleicht hat sie ja zu Hause einen Freund?"

„Das finde ich nicht gut", sagte Julian sofort. „Wenn sie zu Hause einen Freund hat, dann kann Leon Carina ja sofort mit dem Hinweis auf Sandras Typen besänftigen!"

Fritzi schüttelte den Kopf. „Ich finde Susans Idee gar nicht so abwegig. Vielleicht tut es unserem lieben Leon mal ganz gut, wenn ein Mädchen nicht sofort seinetwegen den Kopf verliert."

Jasmin kicherte. „Verwechselst du vielleicht gerade Leon mit seinem Darsteller, Fritzi? Unserem Julian würde es wahrscheinlich auch ganz gut tun, wenn ihm mal wieder eine Widerstand leisten würde!"

„Danke, mir reicht der Widerstand, den du mir leistest", knurrte Julian in Richtung seiner Partnerin.

Jasmin grinste. „Herzchen, wenn ich mich nicht

mehr wehren würde, wäre ich bei dir schon lange abgeschrieben!“

Die Blicke, die zwischen den beiden hin- und herflitzten, deuteten darauf hin, dass sie dieses Wortgefecht nicht zum ersten Mal austrugen. Nun unterbrach es Thornow, indem er eine Hand hob:

„He, wir haben hier zu arbeiten! Vielleicht könnt ihr eure privaten Geschichten später erledigen! Ich würde jetzt nämlich gerne mal die erste Szene proben. Wir sind uns darin einig, dass Sandra sich erst mal neutral verhält, okay? Dennoch sollten wir es so anlegen, dass verständlich wird, warum Carina gleich losgeht wie eine Rakete.“

„Laut Drehbuch kommt sie ins Zimmer, als Julian und Sandra gemeinsam Musik hören“, erinnerte Pit.

„Hmm“, knurrte der Regisseur. „Damit lassen unsere Herren Drehbuchschreiber mal wieder allerlei offen. Na ja, gehen wir mal in die Dekoration. Die müsste jetzt doch stehen, oder?“

„Ja“, antwortete Pit sofort und deutete mit ausgestrecktem Arm auf die Halle. „Darf ich die Damen und Herren bitten?“

In der Halle war es immer noch nicht viel aufgeräumter, doch immerhin brannten ein paar Lampen mehr. Sie tauchten das Chaos aus Stellwänden, Kamerakränen, Mikrofonbalken, Kabeln und Schienen in ein kaltes Licht. Susan hörte ein Hämmern über sich und hob erschrocken den Kopf. Da oben unter der Hallendecke waren ganze Batterien von Scheinwerfern angebracht, in einem verwirrenden Durcheinander von Laufstegen und noch mehr Kabeln.

Mitten in der Halle hingen an starken Stahlseilen die Wände von Leons Zimmer. Susan erkannte die Bücherregale und Poster, die sie schon oft im Fernsehen gesehen hatte, sogar der Motorradhelm, der immer an der Wand hing, war da. Die Wände und die Türen, die im Fernsehen so massiv gemauert aussahen, waren in Wirklichkeit auf Holzrahmen gespannte Leinwände, auf deren Rückseite jemand mit schwarzer Farbe geschrieben hatte: „Leons Kabuff, Teil 3."

Doch Susan hatte nicht lange Zeit, alles genau anzuschauen. Thornow war, gefolgt von Julian, Jasmin, Fritzi, Pit und einem baumlangen, dürren Menschen in einem roten Overall, inzwischen auf der Plattform angekommen, auf der Leons Möbel standen. Er ließ sich auf das Sofa fallen, schaute nach oben und überlegte einen Moment. Dann fing er mit leiser Stimme eine Unterhaltung mit seinem Regieassistenten an.

Susan verstand kein Wort. Sie schielte immer wieder zu Pit hinüber. Offensichtlich nahm Thornow seinen Assistenten sehr ernst, und das, was der bisher von sich gegeben hat, klang, als ob er eine ganze Menge Ahnung hätte. Wider Willen musste Susan sich eingestehen, dass Pits sicheres Auftreten ihr imponierte. Verdammt, wenn er nur nicht immer so eklig zu ihr wäre!

„Susan, wir fangen an!" Thornow war wieder

aufgestanden, ein Mädchen stand nun neben ihm, das Drehbuch in der Hand und einen Rotstift in der anderen. „Unsere erste Einstellung: Du bist mit Julian allein im Zimmer, ihr hört Musik. Text haben wir dafür keinen, das Ganze dauert nur zwanzig Sekunden." Susan bemerkte, dass nun auch Thornow zum vertraulichen Du übergegangen war. Er schaute zu Pit, der inzwischen ein paar Meter entfernt mit einem Arbeiter verhandelte, offensichtlich etwas unwillig. „Pit, was ist mit der Requisite? Kriegen wir ein paar CDs oder pennen die mal wieder?"

„Kommt schon!", rief Pit. Tatsächlich rannte nun ein anderes Mädchen in die Halle, einen Korb mit CDs unter dem Arm.

„Wundervoll! Wenigstens das klappt", murmelte Thornow. „Dann könnten wir vielleicht auch mal anfangen, einzuleuchten. Pit!"

„Ja, Chef, schon unterwegs!" Pit flitzte durch die Halle.

Thornow schüttelte den Kopf. „Fritzi, kannst du die Kamerafuzzis nicht mal dazu bringen, sich rechtzeitig hier einzufinden? Ich find's nicht gerade ersprießlich, dass wir jedes Mal hinter denen herwetzen müssen!" Thornow verdrehte die Augen und wandte sich seinen Schauspielern zu.

Julian hatte sich auf den Rand der Plattform gesetzt und einen Gameboy ausgepackt. Jasmin blätterte in dem Drehbuch, das sie der Assistentin abgenommen hatte. Susan allerdings stand in Bereitschaft, alle Muskeln angespannt – irgendwann würde

Thornow bestimmt etwas von ihr wollen. Sie hatte das Gefühl, schon mindestens eine Woche herumgestanden zu sein und nichts verstanden zu haben.

Nach einer halben Stunde, in der Susan ein paarmal unsanft von einem knurrenden Kameramann und seinem Assistenten zur Seite geschubst worden war, war sie endlich gefragt. Thornow lächelte sie an, schob sie zum Sofa, auf dem Pit mittlerweile die angelieferten CDs ausgebreitet hatte und sagte: „So, du setzt dich da hin und guckst dir die CDs an. Julian steht unterdessen neben seiner Stereoanlage." Er grinste. „Schaffst du das?"

„Ich glaub schon ..."

Susan setzte sich aufs Sofa und versuchte, sich in Sandra hineinzuversetzen. Sandra war zu Besuch. Sandra war neu in diesem Zimmer. Sandra war noch nicht sehr vertraut mit Julian. Also würde sie vermutlich noch nicht auf dem Sofa lümmeln wie bei ihrem besten Freund, sondern eher ein bisschen steif wirken, noch ein wenig auf der Kante sitzend ...

Susan probierte es, während Thornow Julian neben dem Regal postierte, auf dem eine Stereoanlage aufgebaut war. Susan erwartete nun Musik zu hören, doch da war nichts, nur das Surren eines Motors in der Halle und plötzlich gleißendes Licht – so hell, dass sie erschrak und blinzelte. Zum Glück schien es niemand bemerkt zu haben, denn die anderen waren offensichtlich daran gewöhnt.

Susan schielte zu Julian hinüber. Er sah entspannt und locker aus, wie er sich da über die Stereoanlage beugte. Und gut sah er aus! Verdammt gut sogar! Seine hellen Jeans betonten die schmalen Hüften und die langen Beine, das Licht ließ seine dunklen Haare glänzen wie Seide. Susan musste schlucken – nein, das war jetzt nicht der richtige Zeitpunkt darüber nachzudenken, wie gut Julian ihr gefiel. Sie hatte in den CDs zu wühlen und Sandra-auf-Besuch zu spielen ...

„Gut, Susan, halt das so! Die Kamera wird gleich über dir sein – du guckst nicht in ihre Richtung! Du spielst einfach so mit den CDs rum, bis jemand ‚Cut' ruft, okay?", wies Thornow an. „Julian, dreh dich ein bisschen mehr zu Susan! Du interessierst dich für sie, zumindest so viel, dass Corina deswegen crazy wird. Also: Lächle sie mal von schräg unten an, das kannst du doch so gut!"

„Die Kleine hat das Profil aus'm Licht!", maulte der Kameramann. „Sieht das denn mal wieder keiner außer mir?"

Susan drehte den Kopf ein wenig, doch schon meckerte Thornow zurück: „Die Kleine sitzt gut, wie sie sitzt! Richte du halt dein Licht entsprechend ein! – Hast du's?"

„Moment!" Der Kameramann stand neben einem Computer, der auf einem kleinen Fahrgestell aufgebaut war. Susan merkte, wie sich der Scheinwerfer ein Stückchen drehte. Puh, der strahlte ganz schön Hitze ab, die ihr jetzt seitlich ins Gesicht fiel. Ihr wurde langsam warm, ein kleines Schweißbächlein lief ihr Rückgrat entlang. Immerhin schien Julian auch zu schwitzen, denn seine Nase glänzte, was Pit veranlasste, lauthals nach der Maske zu brüllen.

Drei Minuten später war auch Susans Nase noch einmal frisch gepudert, außerdem hatte der Kameramann endlich seinen Kran erklommen. Das Mädchen mit dem Drehbuch balancierte am Rand der Plattform, eine Klappe in der Hand, und brüllte mit etwas schriller, rauer Stimme: „Ruhe, wir drehen! GUST 58, Szene 4, die erste!“

Susan hatte erwartet, dass ein scharfer Knall folgen würde. War der nicht in allen Filmen, die über Filme gedreht wurden, üblich? Und mussten die Regisseure nicht erst Mal „Action“ oder so was Ähnliches brüllen? Hier kam nichts dergleichen. Trotzdem war es plötzlich ganz still in der Halle, so still, dass das Klappern der CD-Hüllen sie fast erschreckte. Aber nein, sie durfte sich das nicht anmerken lassen. Im Gegensatz zu ihr hörte Sandra in dieser Szene ja Musik – wahrscheinlich sogar ziemlich laute Musik. Jedenfalls war sie laut und gut genug, Leon zu einem leichten Wiegen in der Hüfte zu veranlassen und zu einem Lächeln, das wie eine Aufforderung zum Tanz schien. Susan fand ihn wundervoll und sie hätte so gerne mit ihm getanzt! Ob sie vielleicht in der nächsten Folge bei dieser Diskogeschichte mit ihm tanzen würde?

Himmel, daran solltest du jetzt nicht denken! Konzentrier dich!, befahl sie sich. Wie lange dauerten die zwanzig Sekunden denn noch? Wann kam endlich der Ruf „Cut“? Sie konnte doch wohl nicht ewig auf diese CDs starren. Niemand würde so lange auf CDs starren, nicht einmal, wenn Julian van Eycken höchstpersönlich auf der Hülle abgebildet wäre. Oder?

Susan hatte das Gefühl, dass sich die Sekunden zu Ewigkeiten dehnten – und dabei schmorte sie unter dem gleißenden, viel zu warmen Licht! Sicher befand sich ihre Frisur mittlerweile im Auflösungszustand. Sicher hatte sie schon wieder Schweiß auf der Nase und glänzende Wangen. Und außerdem saß sie unbequem! Dieses Sofa war eindeutig nicht zum Ausruhen, sondern als Folterinstrument konstruiert ...

„Cut!“, brüllte in dem Moment Pit – und Susan atmete erleichtert aus und sackte etwas in sich zusammen. Puh, wenn ihr vorher jemand erzählt hätte, dass es anstrengend sein könnte, CDs anzuschauen, hätte sie es nicht geglaubt. Aber immerhin: Das war ihre erste Filmaufnahme gewesen! Sie hatte es geschafft und war fast stolz auf sich. Ihre Augen suchten nach Thornow. Er hatte die Brille auf die Stirn geschoben und kratzte sich wieder mal hinter dem Ohr.

„Was meinst du, Pit?“

„Hmm ...“, brummte der.

„Fritzi?“

„Julians Hüftschwung ist doof", fand die. „Er will die Kleine ja wohl nicht gleich vernaschen, oder?"

„Na ja – es muss zumindest ein bisschen so aussehen, als ob."

„Aber bitte nicht so Elvis-Presley-Schmalzlocken-mäßig", fand Fritzi.

„Hmm. Hast Recht", gab Thornow zu. „Wir machen das noch mal. Julian, diesmal bitte ohne Übertreibung, ja? Susan, du warst nicht schlecht. Bitte noch mal genau so!" Und bevor Susan etwas fragen oder sagen konnte, hüpfte die kleine Assistentin mit ihrer Klappe wieder mitten in die Dekoration.

„Ruhe, wir drehen!", verkündete sie. Susan straffte das Kreuz und starrte wieder auf die CD, die sie in den Händen hielt.

„GUST 58, Szene 4, die zweite!"

Susan hatte beschlossen, diesmal die Sekunden zu zählen. Zwanzig waren es laut Drehbuch und Thornows Aussage. Zwanzig Sekunden waren nicht so lang. Im Gegenteil! Am Telefon, wenn sie mit Annkathrin sprach, waren sie immer viel zu kurz. Der Einheitenzähler ratterte durch wie nichts.

Susan starrte auf die CD in ihren Händen – und musste sich ein Grinsen verkneifen. Annkathrin wäre begeistert! Die liebte diese Boygroup und vor allem den blonden Sängerknaben in ihrer Mitte. Susan war von ihm nicht ganz so angetan. Aber vielleicht war ja Sandra ein Fan der Gruppe? Brrr, dieses Sofa war wirklich unbequem! Himmel, jetzt hatte sie das Zählen vergessen! Und heiß war es außerdem. Wie lange, bitte, dauerten denn zwanzig Sekunden in einem Filmstudio?

„Cut!“

Diesmal war der Ruf wirklich eine Erlösung. Susan sank ins Sofa zurück, Julian gegen das Regal.

„Bist du jetzt zufrieden, Henning?“, wollte er wissen.

Der schaute zu seinem Kameramann hinauf, der den Kopf schüttelte, dann sagte er: „Susan, du hast nach ungefähr fünf Sekunden das Kinn nach unten genommen. Das ist Mist! Wenn du den Kopf so senkst um auf die CD zu gucken, hast du einen ganz blöden Schlagschatten im Gesicht. Das sieht nicht gut aus! Du musst darauf achten, die Position zu halten, in der du eingeleuchtet bist. Und du, lieber Julian, solltest nicht blinzeln, wenn du Susan anlächelst! Himmel, Kinders – wir werden doch diesen Zwanzigsekünder ohne Ton noch hinter uns bringen! Also, noch mal und zwar zonky und ohne Pannen!“

Und wieder hieß es: „Ruhe, wir drehen!“ und „GUST 58, Szene 4, die dritte!“ Und Susan starrte wieder mit steifem, durchgedrücktem Rücken auf die CD-Hülle, wobei sie sorgfältig darauf achtete, das Kinn nicht zu senken und nicht an der falschen Stelle zu blinzeln. Allerdings war da ein kleines Problem: Sie hätte wohl vorher fragen sollen, welches die richtige Stelle zum Blinzeln war! Oder gab es die gar nicht? Sollte sie etwa zwanzig Sekunden mit starrem

Blick und weit aufgerissenen Augen den Blondschopf auf der Plattenhülle fixieren?

Brrr, wenn Thornow danach noch eine Wiederholung wollte, würde sie sich eine andere CD aus dem Stapel fischen. Vielleicht eine mit ein bisschen Text darauf, damit sie nicht nur kuhäugig starren musste?

Warum sind diese Lampen eigentlich so heiß?, dachte Susan. Ob sie, wenn sie lange genug darunter schmachtete, platzen würde wie ein Würstchen in der Mikrowelle? Flups hatte das mal ausprobiert – und es dann ihr überlassen, die Schweinerei wegzuwischen. Überhaupt, Flups! Der würde sich einen abgrinsen, wenn er sie so sehen würde. Schwitzend, eine CD-Hülle in der Hand und angemalt wie zum großen Schulfasching.

Wieso waren diesmal die zwanzig Sekunden noch länger als beim letzten Mal? Hatte irgendjemand die Uhren angehalten? Oder hatte Pit, der Grausame, beschlossen, sie schon am ersten Tag in der ersten Szene weich zu kochen?

Endlich, endlich, als sie es schon fast nicht mehr für möglich gehalten hatte, kam das „Cut“, diesmal gefolgt von einem zufriedenen Thornowschen Seufzer: „Das dürfte es gewesen sein. Müller, war's okay für dich?“

„Klar“, klang es von oben.

„Zauberprächtig!“, lobte Thornow. „Dann können wir ja gleich weitermachen. Wo ist Jasmin?“

„In der Maske“, antwortete Pit.

„Dann soll sie mal ganz schnell rüberkommen!“ Thornow erhob sich aus seinem Stuhl und kam zur Dekoration.

Susan nützte die Gelegenheit auch aufzustehen und ihr Kreuz zu strecken. Das tat gut! Dummerweise schien Thornow bemerkt zu haben, wie sie sich reckte, und brummte: „Mädchen, du musst ein bisschen relaxter werden! Im Moment ist es okay, wenn du dasitzt wie die Erbtante auf Besuch, aber in der nächsten Szene musst du dich bewegen und was sagen. Wenn du dabei auch so steif in den Schultern bist, klingt das nicht!“

„Keine Sorge ...“ Susan schluckte. „Ich krieg das schon hin!“ Dankbar dachte sie an Philip und den Dressurakt, den er für diese zwei Sätze in der nächsten Szene mit ihr aufgeführt hatte. Doch, sie würde das schaffen!

„Kann ich eine Zigarettenpause machen oder brauchst du mich?“, fragte Julian neben ihr. Thornow schüttelte unwillig den Kopf. „Wenn du den ersten Durchlauf nicht vermasselt hättest mit deinem Übertreiben, wären wir jetzt schon ein Stück weiter und im Zeitplan! Ergo machen wir jetzt keine Zigarettenpause, sondern proben – sobald deine geschätzte Partnerin hier ist.“ Er drehte sich um und brüllte wieder einmal: „Pit, wo steckt Jasmin? Lässt die sich die Nase operieren oder den Bauchnabel piercen oder warum dauert das so lange?“

„Bin ja schon da!“ Jasmin Bonten tauchte aus dem Hintergrund auf, die dunklen Haare unter einer bunten Mütze versteckt, in einen dicken Anorak gekleidet und einen Schal um den Hals. Susan beneidete sie nicht um diese Aufmachung, denn das Licht hatte die Halle mittlerweile auf tropische Temperaturen erhitzt. Tatsächlich schüttelte sich Jasmin. „Kann mal einer den Ventilator einschalten? Wenn ich noch lange hier rumstehen muss, zerreißt es mich nämlich!“

„Armes Kleines!“ Thornow klang ziemlich zynisch, er blätterte mit gerunzelter Stirn im Drehbuch. „Wer hat sich denn diesen Stuss-Dialog ausgedacht?“, brummte er. „Vielleicht sollte ich mir doch mal angewöhnen den ganzen Kram zu lesen, bevor wir damit in die Halle gehen. Das klingt ja mal wieder wie beim Märchenerzähler auf dem Christkindlmarkt! Fritzi!“

„Ja, großer Meister?“ Fritzi war anscheinend nicht immer sichtbar, aber dennoch in Bereitschaft.

„Hältst du diese hölzernen Dialoge für sprechbar?“

„Warum nicht?“

Thornow schüttelte den Kopf und flötete mit heller Stimme: „Liebling, empfindest du meinen Besuch als Störung?“ Susan erinnerte sich: Das war Jasmins erste Zeile in dieser Szene. „So was sagt doch kein normaler Mensch! Das heißt kurz und knackig: ‚Stör ich hier etwa?‘“

„Von mir aus.“ Fritzi verdrehte die Augen. „Ich fand es nicht so schlecht, aber wenn du meinst …“

„Du fandest es nicht schlecht?“ Thornow schien sich nun wirklich aufzuregen. „Sei ehrlich! Fragst du unsere Schreiber, ob sie ’ne Strukturanomalie im Porzellanteil haben, oder fluchst du nicht auch einfach: ‚Ihr habt wohl einen Sprung in der Schüssel‘?“

„Oh, Henning, nicht schon wieder diese Debatte!“, bat Fritzi. „Willst du jetzt maulen oder proben?“

„Maulen!“ Der Regisseur grinste, plötzlich wieder friedlicher gestimmt. Er nahm seiner Assistentin das Buch aus der Hand und kritzelte etwas hinein. „Jasmin, dein Satz heißt ‚Stör ich?‘, und wenn du gut bist, bringst du ihn ein bisschen spitz. Julian, dein Text bleibt, wie er ist. Susan, wie ist es mit dir? Kannst du deine Lines?“

„Ja.“

„Gut, dann machen wir einen Durchlauf – erst mal die Positionen. Susan sitzt auf dem Sofa. Julian steht immer noch vor der dummen Stereoanlage. Jasmin rauscht in die holde Zweisamkeit hinein, zieht ihre komische Mütze aus, schüttelt sich und guckt blöd – eine Übung, die ihr nicht schwer fallen dürfte. Das wiederum veranlasst Sandra – äh, ich meine natürlich Susan! – aufzustehen ...“

„... und auch blöd zu gucken?“ Pit war von hinten aufs Set gekommen, eine Rolle mit Klebestreifen in der Hand. „Müssen wir irgendwelche Positionen markieren?“

„Natürlich – für die Aufnahmen in der Totalen! Wir nehmen die in dem Moment, in dem Susan steht und Jasmin tief in die Augen guckt.“

„Gut“, bestätigte Pit, kniff ein Auge zusammen und

ging dann vor dem Sofa, auf dem Susan vorher gesessen hatte, in die Knie. Er riss einen Streifen von dem Klebeband ab und drückte ihn auf dem Boden fest. Ein zweiter kam kreuzweise darüber. Auf den Knien rutschte er zur Stereoanlage hinüber und pappte ein zweites Klebeband-Kreuz an die Stelle, an der Julian stehen sollte. „Wenn die Herrschaften mal auf ihre Positionen gehen würden?“, bat er. Susan war nicht sicher, was er damit meinte, aber sie beobachtete Julian. Der trat nun genau auf das Kreuz. Also folgte sie ihm, indem sie auf ihre Markierung marschierte.

Pit war inzwischen wieder aufgestanden und hatte die Hände auf Jasmins Schulter gelegt. Er schob sie um die Leinwand herum, die die Zimmerwand darstellte.

„Schätzchen, wenn du jetzt mal bitte durch die Tür kommst und auf Susan zugehst, dann kann ich dir auch eine Position markieren.“

Thornow fuhr dazwischen: „Kinder, macht mal ein bisschen schneller! Wir sollten zusehen, dass wir fertig werden. Außerdem habe ich Hunger.“

Susan hatte die Vorgänge gespannt verfolgt, allerdings war ihr noch immer nicht klar, wozu die Klebekreuze gebraucht wurden. Doch mittlerweile war sie fast bereit sich damit abzufinden, dass sie so manches in dieser Halle nicht auf Anhieb verstand. Irgendwann würden ihr die Lichter schon aufgehen. Bis dahin musste sie sich wohl bemühen, sich etwas zu entspannen. Der Gedanke an den Text, den sie jetzt gleich sagen sollte, brachte ihren Magen heftig in Aufruhr. Hoffentlich piepste sie nicht. Es wäre zu peinlich, wenn sie, nachdem sie schon verbotenerweise das Kinn gesenkt hatte, noch einen Patzer liefern würde. Thornow schien mächtig unter Zeitdruck zu sein und wurde zunehmend ungeduldig. Er würde Susan-Sandra bestimmt keine Chance für eine Lovestory mit Julian-Leon geben, wenn sie schon am ersten Tag für Verzögerungen sorgte.

Dabei war es ihr allererster Tag! Niemand konnte von ihr erwarten, dass sie alles sofort richtig machte, dachte Susan fast trotzig – und erinnerte sich im gleichen Moment an Philip. Er hatte sie gewarnt: Keiner wird auf dich Rücksicht nehmen, nur weil du Anfängerin bist. Das ist kein Spiel, das ist knallhartes Geschäft!"

Susan begriff langsam, was er damit gemeint hatte und sehnte sich plötzlich nach Winnie, der in ihrem Rucksack draußen wartete. Jetzt für einen Moment einfach nur Susan sein dürfen! Das wäre zu schön. Einfach nur in ihrem Zimmer sitzen, Musik hören, vielleicht ein bisschen mit Annkathrin quatschen ... Vielleicht hatte sie sich mit dieser Geschichte doch zu viel vorgenommen? Sie würde bestimmt piepsen, wenn sie diesen Satz nachher sagen würde! Und überhaupt: Wie hieß er denn noch? „Hallo, ich bin Su..." Quatsch, natürlich nicht! Er hieß: „Hallo, ich bin Sandra." Oder: „Ich bin Sandra, hallo!"? Verflixt – vorhin hatte sie es doch noch gewusst!

Ob sie wohl einen Blick ins Drehbuch werfen

konnte? Oder würde Thornows Assistentin dann denken, dass sie keine Ahnung und nichts gelernt hatte? Und Pit? Wahrscheinlich schaute er so grimmig, weil sie vorher das Kinn gesenkt hatte. Wahrscheinlich dachte er, dass sie seinen Vater blamierte, wenn Thornow sie noch einmal kritisieren musste, weil sie zu steif war.

Wie viel Uhr es jetzt wohl war? Mittagszeit? Thornow hatte davon gesprochen, dass er Hunger hatte. Es musste um zwölf herum sein. Aber Susan hatte keinen Hunger. Im Gegenteil! Schon der Gedanke daran, etwas zu essen, war zu viel. Sie würde garantiert keinen Bissen hinunterbringen, bevor sie ihr „Hallo, ich bin Su... äh, Sandra!“ herausgepiepst hatte. Und wenn sie es mit diesem Patzer brachte, dann würde es dem ungeduldigen Thornow vermutlich endgültig zu dumm werden. Wahrscheinlich würde er sie dann ... heimschicken? Oder auffressen?

Susan fand zu ihrem Humor zurück. So hungrig, dass er sie fressen würde, war Thornow sicher nicht. Und überhaupt – sie hatte schließlich Sprechunterricht genommen! Da würde sie doch den simplen Satz „Hallo, ich bin Sandra!“ herausbringen ohne hängen zu bleiben! Immerhin konnte sie so schwierige Sätze wie „Barbara saß nahe am Abhang ...“ fehlerfrei aufsagen.

Jetzt war es so weit: Susan saß wieder auf dem Foltersofa, Julian stand neben seiner Stereoanlage und Jasmin nahm draußen Anlauf um schwungvoll durch die Tür zu platzen. Thornow lehnte seitlich an einem Kamerakran, die Stirn in Falten gelegt, seine Assistentin und Pit neben sich. Jetzt kam Jasmin durch die Tür, sie sah plötzlich gar nicht mehr wie die freundliche Jasmin aus, sondern wie eine ziemlich wütende Carina.

Sie zog ungeduldig an ihrer Mütze, zwei steile Ärgerfalten standen zwischen ihren Augen.

„Stör ich?“, fragte sie mit scharfer Stimme, dabei starrte sie Susan an, die sich langsam vom Sofa erhob. Jetzt hatte sie wohl auf ihre Position zu gehen, aber wie, ohne nach unten auf das Klebekreuz zu schauen? Wie machten das nur die anderen?

„Halt!“ Thornows Stimme unterbrach ihr Bemühen. „Susan, du bist gut zwanzig Zentimeter neben der Position, auf der du eigentlich sein solltest.“

„Entschuldigung ...“ Susan bekam heiße Wangen und war froh, dass die dicke Schminke auf ihrem Gesicht die Röte verbarg. Sie schaute auf das Kreuz vor ihren Füßen und überlegte, wie sie sich wohl, ohne nach unten zu schauen, direkt dahin bewegen konnte. Jasmin fing ihren Blick auf.

„Hey, das haben wir alle erst üben müssen“, sagte sie ermunternd. „Der Trick dabei ist, das Körpergedächtnis zu benützen. Es ist ganz einfach: Du stehst drei- oder viermal auf und gehst auf die Position. Dann wissen deine Füße, wie groß die Schritte sein müssen, die du zu machen hast. Dein Körper erinnert sich an den Punkt, an dem er zu stehen hat. Probier's einfach mal!“

Susan lächelte dankbar und bemühte sich, die Übung ganz schnell dreimal durchzuführen. Aufstehen, einen Schritt auf die Markierung ... ach ja, genau, es war kein großer Schritt, es war ein Dreiviertelschritt mit fünfzehn Grad Drehung. Doch, das würde sie sich merken können! Aber am besten, sie probierte es gleich noch mal. Thornow war ja gerade abgelenkt, er guckte wieder einmal zu seinem Kameramann und den Lampen hinauf, die Hand als schützender Schirm über den Augen.

Susan sank wieder auf die Couch, erhob sich – und spürte Jasmins Hand auf ihrem Arm. „Sieht gut aus. Jetzt schau einfach mal nicht auf die Markierung“, sagte sie leise.

Susan nickte, presste die Lippen zusammen und konzentrierte sich. Ein Dreiviertelschritt, fünfzehn Grad Drehung – und? Sie schaute hinunter auf ihre Füße und strahlte: Ja, sie stand genau richtig!

„Danke, Jasmin.“ Susan hätte die dunkelhaarige Kollegin am liebsten umarmt.

„Bitte, bitte, gern geschehen.“ Jasmin wischte sich mit dem Handrücken über die Stirn. „Henning, können wir weitermachen? Ich bin wirklich kurz vor dem Hitzetod!“

„So schnell gehst du nicht ein!“ Thornow grinste. „Aber du hast Recht – machen wir weiter. Also los, von Anfang an ...“

Susan gähnte herzhaft. Also, eines hatte sie nach fast einer Woche „beim Fernsehen“ schon begriffen: Das war kein Job für Langschläfer! Und fast beneidete sie ihre Klassenkameraden ein wenig. Die hatten Ferien und durften jeden Morgen bis in die Puppen schlafen, während sie sich schon um halb sechs aus den Federn wuchten musste, um Punkt sieben in der Maske anzutreten. Immerhin hatte es sich in den letzten drei Tagen gelohnt, so früh da zu sein. Sie wurde jeweils in der ersten Szene gebraucht, sie stand meist gleich nach dem Schminken für ein oder zwei Stunden in der Halle, probte und war dann dran bei den Aufnahmen.

Gestern war es sogar besonders spannend gewesen: Fritzi und Thornow hatten sie alleine in die Halle bestellt um einige Groß- und Standaufnahmen von ihr zu machen. Und weil man schon dabei war, durften auch gleich ein paar Reporter mit in die Halle, denn die waren natürlich daran interessiert, den Zeitschriftenleserinnen die Gewinnerin des Talentwettbewerbs bei der Arbeit zu zeigen. So tanzten zwei Fotografen um Susan herum, dazu eine ziemlich aufgedrehte Redakteurin und ein muffiger Henning Thornow, der solche Ablenkungen auf seinem Set offensichtlich nicht sehr ersprießlich fand. Susan hatte sich zum ersten Mal wie ein Star gefühlt. Das hatte Spaß gemacht und über die vielen Stunden hinweggetröstet, die sie im Lauf der Woche mit Warten verbracht hatte.

Dabei war das Warten eigentlich gar nicht so langweilig. Meist hatte sie dabei Gesellschaft. Entweder saß Jasmin neben ihr, an einem ellenlangen, knallbunten Schal strickend, oder Julian leistete Susan Gesellschaft.

Julian! Susan musste schlucken, wenn sie an ihn dachte. An sein Lachen, hell und fröhlich, so selbstsicher, so überzeugt davon, dass ihm die Welt gehörte. Die Art, wie er sein dunkles Haar aus dem Gesicht schüttelte. Seine schlanken, festen Hände … Gestern war Susan beim Ausgang der Halle ausgerutscht. Julian hatte schnell reagiert und nach ihrem Arm gefasst. Susan meinte noch immer seinen Griff an ihrem Ellbogen zu spüren. Und dazu sein Duft, dieser ganz besondere Geruch nach etwas Herbem, Frischem, an dem sie ihn unter tausend anderen Jungen wieder erkennen würde. Ob es ein Rasierwasser war? Susan war es egal. Sie wusste nur, dass sie diesen Duft am liebsten immer riechen würde, dass sie sich am liebsten auf die Zehenspitzen stellen, die Arme um seine Schultern legen und die Nase an seinem Hals vergraben würde um mehr von diesem warmen, schon so vertrauten Julian-Duft abzubekommen.

Und dann seine sanfte, dunkle Stimme – ein charmanter süddeutscher Dialekt klang bei ihm immer durch. Susan mochte es, wie er lässig und elegant leicht die Silben verschmolz. Thornow schien es allerdings weniger zu mögen und meckerte immer wieder: „Sprich deutlicher, Julian!“ Und auch die Tonmeister beschwerten sich manchmal: „Junge, wir werden nicht nur in Süddeutschland gesehen!“

Susan kümmerte das wenig, so wenig wie Julian selbst. Sie fand, dass er gut klang. Aber am besten gefiel ihr Julians Stimme, wenn er nicht als Leon, sondern eben als Julian zu ihr sprach. Eigentlich war es schade, dass Annkathrin gerade jetzt in Österreich war. Sie hätte ihr so gerne davon erzählt! Die würde vor Neid platzen, wenn sie von Susans Unterhaltungen mit Julian wüsste! Er kam immer öfter, wenn sie beide zu warten hatten, und setzte sich zu ihr. Und er hatte immer eine Menge zu erzählen. Susan wusste schon fast alles über ihn und seine Karriere: Dass er der Sohn eines Kameramannes war und schon als Baby mit im Studio gewesen war, dass er mit sieben Jahren seine erste Sprechrolle gehabt hatte und seitdem eigentlich immer beschäftigt gewesen war.

„Und die Schule?“, hatte Susan einmal gefragt. Julian hatte gelacht.

„Hör mal, ich bin Schauspieler! Ich habe mittlere Reife gemacht – mehr recht als schlecht, aber mehr war nicht drin. So sehr hat mich das Zeug, das ich da lernen sollte, sowieso nicht interessiert. Ich fand Filmen immer viel spannender.“ Er hatte mit den Schultern gezuckt. „Aber wozu sollte ich mehr brauchen als mittlere Reife? Schau mal, ich bin jetzt hier in der Serie noch für mindestens ein halbes Jahr beschäftigt. Danach wird mein Agent neu verhandeln und entweder ich kriege die Gage, die mir zusteht, oder ich nehme ein anderes Angebot an."

„Hast du eigentlich eine Schauspielausbildung gemacht?", hatte Susan ihn gefragt.

Julian hatte beide Hände erhoben und abwehrend gewinkt. „Bloß nicht! Das ist verheerend fürs Talent! Danach hampelst du nur noch rum und klingst so übertrieben wie ein Staatsschauspieler. Ne, wenn ich so was machen würde, dann bloß in Amerika. Die Deutschen sind immer noch total auf die Bühne fixiert, aber für den Film brauchst du ganz andere Fähigkeiten!"

„Ich weiß nicht ..." Susan hatte tief Luft geholt. „Philip Pierson macht Theater und Film." Sie schluckte noch einmal und sagte dann: „... und er macht doch beides ganz erfolgreich."

„Na ja, er sieht nicht schlecht aus", gab Julian zu. „Es gibt eine ganze Menge Weiber, die auf ihn abfahren. Vielleicht, weil er so ein bisschen steif und unbeholfen wirkt. Aber so gut, wie manche Leute tun, ist er wirklich nicht. Ich sag immer: Diese Theaterschauspieler sollten auf ihrer Bühne bleiben und uns Filmleuten die Arbeit vor der Kamera überlassen."

Susan war nicht so richtig überzeugt gewesen.

„Es gibt eine ganze Menge Schauspieler, die beides richtig gut können", hatte sie beharrt.

Julian hatte abgewinkt. „Na ja, vielleicht ein paar.

Aber die, die heute oben sind in Hollywood, sind reine Filmspezialisten!“

Susan hatte eigentlich noch mal widersprechen wollen, aber dann hatte sich Julian ein wenig näher zu ihr gebeugt und leise gefragt: „Sag, was machst du eigentlich am Wochenende? Wollen wir am Samstagabend unsere Diskoszene nicht mal live probieren?“

Susan hatte ihn einen Moment nachdenklich angeschaut, nicht, weil sie überlegte, ob sie seine Einladung annehmen sollte. Natürlich würde sie das! Aber der Samstag passte nicht unbedingt. Ihre Eltern hatten zu einer Grillparty eingeladen – unter anderem auch Familie Pierson: Philip, seine Frau und den grässlichen Pit. Auf den war Susan nicht scharf, wirklich nicht. Aber sie freute sich Philip wieder zu sehen. Der wollte seine Frau mitbringen und Susan war ziemlich neugierig auf die schöne und berühmte Alexa Hinrichs. Andererseits hatte sie eben tatsächlich eine Einladung von Julian erhalten. Und davon hatte sie seit Tagen schon geträumt. Sie hatte sich immer wieder vorgestellt, wie es sein könnte, mit ihm alleine zu sein, weit entfernt vom Set.

Natürlich hatte sie in ihren Träumen nicht unbedingt an eine Disko gedacht. Eine Disko war optimal um Leute kennen zu lernen, um sich auszutoben, um mal wieder richtig abzutanzen. Aber mit Julian wäre sie gerne spazieren gegangen, irgendwo an einem See, im milden Abendlicht. Vielleicht würde er dabei ihre Hand nehmen und sie dann im Sonnenuntergang küssen?

Susan war tatsächlich in Julian verknallt. Es war nicht das erste Mal, dass ihr ein Junge gefiel. Und ... er wäre auch nicht der Erste, den sie küssen würde. Aber jetzt wusste sie nicht, was sie tun sollte. – Vielleicht konnte sie ja beides haben, die Gartenfete und die Disko mit Julian?

„Meine Eltern haben am Samstag ein paar Leute zum Grillen eingeladen“, hatte sie darum rasch geantwortet. „Vielleicht hast du Lust, auch zu kommen? Es geht um sechs los und wir könnten danach in die Disko gehen.“ Sie wartete gespannt auf seine Antwort, doch er musste erst eine Zigarette anzünden. Dann verzog er ein wenig das Gesicht. „Familienfeiern sind eigentlich nicht so mein Fall. Wenn du gerne mit der Sippe rumgluckst – bitte schön. Aber ich bin nicht scharf drauf. Ich habe meine Altvorderen seit fast einem Jahr nicht mehr gesehen und ich könnte nicht behaupten, dass ich sie vermisse.“

„Es ist keine Familienfeier! Pit und seine Eltern werden auch kommen“, sagte Susan.

„Pit? An Mamis Händchen? Och, ist das süß!“ Julian klang reichlich höhnisch und Susan stellte fest, dass sie sich plötzlich über ihn ärgerte. Es mochte ja sein, dass er nicht besonders gut mit seinen Eltern zurechtkam. Aber musste er deswegen so tun, als ob Pit ein Muttersöhnchen und sie ein Baby wäre? So erwachsen war er wegen der vier Jahre, die er älter war als sie, nun auch wieder nicht! Ziemlich spitz hatte sie deshalb geantwortet: „Ich fände es ziemlich doof, irgendwelche Leute nur deswegen abzulehnen, weil sie zufällig mit mir verwandt sind. Aber wenn du keine Lust hast …“

„So war's nicht gemeint!“ Julian hatte wieder einmal sein charmantestes Lächeln aufgesetzt und Susans Ärger war dahingeschmolzen wie Butter in der Sonne. Er sah so süß aus mit diesen Grübchen im Mundwinkel! „Ich hab nur gesagt, dass ich normalerweise nicht wild auf Family bin. Aber wenn du Wert darauf legst, komm ich eben am Samstag zu eurer Grillparty – und dann gehen wir in die Disko.“

Julian würde tatsächlich kommen! Und danach würden sie gemeinsam in die Stadt fahren und tanzen gehen! Susan hatte es natürlich gleich am Abend ihren Eltern verkündet. Max war nicht besonders begeistert gewesen. „Disko? Mädchen, nach der anstrengenden Woche solltest du am Wochenende ein bisschen Ruhe haben!“

Immerhin hatte Susans Mutter seine väterliche Sorge gleich gebremst: „Gönn ihr doch den Spaß! Sie kann am Sonntag ja ausschlafen. Und außerdem: Ich bin neugierig. Den Wunderknaben Julian van Eycken wollte ich mir schon lange mal in seiner vollen Schönheit angucken!“

Doch davor musste Susan erst einmal mit dem Zug ankommen: Der Freitag war laut Drehplan für Außenaufnahmen am Bahnhof reserviert – und zwar für die Szene, in der Sandra-zu-Besuch mit einem

Intercity München erreichte und von Leon-dem-Gastgebersohn auf dem Bahnhof abgeholt wurde. Pit und Fritzi hatten deswegen schon seit Tagen am großen Rad gedreht: Es reichte nicht, dass die Bahn eine Dreherlaubnis gab und ein Intercity extra bereitgestellt wurde – nein, sie brauchten außerdem auch Leute, die bereit waren, im Zug zu warten, denn schließlich würde ein leerer Zug befremdlich aussehen. Und dann mussten Leute auf dem Bahnsteig sein. Und natürlich musste die komplette Kameraausrüstung samt Lichtern und die kleine Ausrüstung der Tonmeister mit auf den Bahnhof geschleppt werden. Schließlich brauchte es dort einen Maskenbildner, die Garderobe musste mit – Susan hatte am Donnerstagabend fasziniert zugeschaut, wie die Garderobiere und der Maskenbildner ein großes Wohnmobil mit ihren Utensilien beluden, während zwei gelangweilte Arbeiter Kameraschienen und Außenscheinwerfer zu einem Lkw schleppten.

Sie hatte sich nie Gedanken darüber gemacht, wie viel Aufwand hinter Außenaufnahmen für einen Film steckten. Bisher hatte sie immer angenommen, dass man sich einfach zwei Schauspieler, einen Regisseur und eine Kamera schnappt und eben mal zum Bahnhof geht. Nichts dergleichen: Die Aktion wurde beinah generalstabmäßig geplant und durchgezogen. Und bei alledem wirkte Henning Thornow reichlich nervös. Er hatte sie bestimmt fünfundzwanzigmal darauf hingewiesen, dass sie sich „in der Location" nicht verbummeln durften.

Angela Schützler
Kim, 16, Sängerin
Traumjobs, Band 2

Kim singt für ihr Leben gern. Als ein Talentwettbewerb in ihrer Lieblingsdisko stattfindet, wird sie überredet mitzumachen. Und Kim gewinnt. Eine Schallplattenfirma verspricht ihr eine traumhafte Karriere. Daraus wird zunächst nichts. Doch als Benny auftaucht, der Mädchenschwarm aus einer Boygroup, findet sie ihren Weg.

160 Seiten,
DM 14,95 / öS 109,-

lrich Hoffmann
ris, 15, Model
raumjobs, Band 3

ls Iris den FACE-
chönheitswettbewerb
ewinnt, scheint ihr
raum, Model zu wer-
en, in Erfüllung zu
ehen. Doch bei den
oto-Shootings stiehlt
r Fiona mit ihrer
oolen Art jedes Mal
ie Schau. Dann aber
ernt sie Stefan, den
etten Foto-Assisten-
en, kennen und bald
timmt alles, vor und
inter der Kamera ...

60 Seiten,
M 14,95 / öS 109,-

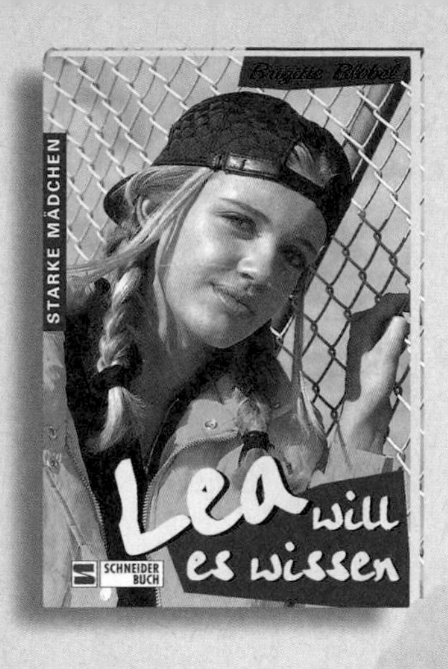

Brigitte Blobel
Lea will es wissen
Starke Mädchen, Band

Lea ist frustriert:
Ihr Freund hat nie Zei
für sie und flirtet
mit einer anderen -
und ihre Eltern wolle
nicht einsehen, dass
sie schon lange kein
Kind mehr ist.
Da hilft nur eins: Le
muss ihr Leben selbst
in die Hand nehmen ..

192 Seiten,
DM 16,95 / öS 124,-

Brigitte Blobel
Keine Panik, Jenny
Starke Mädchen, Band 2

Wochenlang hat Jenny
gegen den Umzug nach
Berlin Terror gemacht.
Es hat nichts gehol-
fen. Momo, Jennys
Kaninchen, ist ihr
einziger Trost. Doch
Momo verschwindet. Als
Jenny erfährt, was
Kalle, der Typ mit dem
rasierten Schädel und
den Springerstiefeln,
mit Momo gemacht hat,
dreht sie durch.

192 Seiten,
DM 16,95 / öS 124,-

Brigitte Blobel
Meike liebt Ken
Starke Mädchen, Band 3

Seit Meikes Mutter tot ist, muss sie sich um ihren kleinen Bruder kümmern und um ihren Vater, der immer öfter zur Flasche greift. Doch Meike findet Halt in ihrer Liebe zu Ken. Der allerdings ist auf Klassenfahrt und wird von einer anderen angemacht ...

192 Seiten,
DM 16,95 / öS 124,-

Brigitte Blobel
Sofies Geheimnis
Starke Mädchen, Band 4

Als Sofie herausfindet, dass ihr kleiner Bruder von Maik, dem Anführer einer Straßengang, erpresst wird, will sie den Kerl zur Rede stellen. Doch sie hat nicht mit Maiks Charme gerechnet, dem sie sich nicht entziehen kann.

224 Seiten,
DM 16,95 / öS 124,-

Brigitte Blobel
Immer wieder Marie
Starke Mädchen, Band 5

Niemand will Marie glauben, dass ihr Lehrer sie nachts auf der Klassenfahrt geküsst hat. Marie ist wütend, sie bekommt nichts mehr auf die Reihe und macht Zoff im Unterricht.
Aber kurz bevor Marie von der Schule fliegt, bemüht sich Kilian um sie.

192 Seiten,
DM 16,95 / öS 124,-

Ishbel Moore
Die Fremde im grünen Kleid

Die 17-jährige Dolina ist seit ihrer Kindheit sich selbst überlassen. Deshalb findet sie sich auch bei der netten Familie nicht zurecht, die sie übers Wochenende bei sich aufnimmt. Das grüne Ballkleid, das man ihr für eine Hochzeit besorgt, weckt viele Sehnsüchte in ihr. Dolina ahnt nicht, dass vielleicht bald ein Traum für sie in Erfüllung gehen wird ...

160 Seiten,
DM 16,95 / öS 124,-

Herbert Friedmann
Schmetterlinge im Bauch
Kuschelrock

Kathrin ist gerade 17 geworden, als sie Philipp kennen lernt. Er ist irgendwie ein totaler Spinner, doch sie fühlt sich trotzdem zu ihm hingezogen. Ist sie wirklich so cool, wie sie immer tut? Und wo bleibt das Schmetterlingsgefühl im Bauch?

192 Seiten, DM 16,80 / öS 123,-

en Hoffmann
nd Date
chelrock

dem Blind-Date-Dinner, das ra übers KuschelRadio genen hat, wird nichts. Denn s, der Junge mit der wunderlen Stimme, erscheint nicht. z darauf verliebt Kiara h in Jan, den sie zufällig nen gelernt hat. Als sie Blind-Date-Verabredung mit s wiederholen soll, erlebt ra eine Überraschung ...

Seiten, DM 16,80 / öS 123,-

Herbert Friedmann
Die Nacht der Zärtlichkeit
Kuschelrock

Als Mona den süßen Diskjockey Benny im Feriendorf kennen lernt, ist sie hin und weg. Zwei Tage vor ihrer Abreise erlebt sie mit ihm die Nacht der Zärtlichkeit. Wieder zu Hause wartet Mona vergeblich auf ein Lebenszeichen von ihrem Traumboy. Doch da steht er eines Tages vor ihrer Tür. Aber das große Herzklopfen will sich nicht einstellen. Wird die Nacht der Zärtlichkeit einmalig bleiben?

192 Seiten, DM 16,80 / öS 123,-

Irma Krauß
Janas Entschluss
Einsatz fürs Leben, Band 1

Für Jana, 16 Jahre, ist gerad
Frustzeit: Die Schule ödet si
an, ihre Beziehung mit Udo wa
ein Reinfall und ihre Eltern
wollen sie zu einer Model-
Karriere zwingen. Doch Jana
will nicht frustriert sein.
Sie will etwas Sinnvolles tun
Schon bald steht ihr Entschlus
fest: Sie will Leben retten.

176 Seiten, DM 16,95 / öS 124,-

Irma Krauß
Nächtliches Drama
Einsatz fürs Leben, Band 2

Mitten in der Nacht wird Jana
zu ihrem ersten Großeinsatz
gerufen, bei dem es um Leben
und Tod geht. Mit Angst - aber
auch mit dem ungebrochenen
Willen zu helfen, eilt Jana zu
dem Unfallort, wo auch Pascal
zur Stelle ist. Diese Nacht
ist für beide der Anfang einer
großen Liebe ...

176 Seiten, DM 16,95 / öS 124,-

Irma Krauß
Notfall im Jugendtreff
Einsatz fürs Leben, Band 3

Das Rettungsteam wird an den
alten Jugendtreff bestellt.
Dort hängt das Leben eines
Betrunkenen an einem seidenen
Faden. Ein Einsatz unter vielen, aber Jana ist tief be-
rührt. Und dann ist da noch
der Streit mit ihren Eltern
und die wachsende Liebe zwischen ihr und Pascal.

176 Seiten, DM 16,95 / öS 124,-

„Das kostet alles ein Schweinegeld!“, hatte er gejammert. „Stürmann killt mich, wenn wir wieder unseren Etat überziehen, also lasst mich bloß nicht hängen, Kinders!“

Susan hatte nicht vor, Henning in Schwierigkeiten zu bringen. Zum einen war immer noch keine Entscheidung über Sandras Zukunft mit Loon getroffen – und zum anderen fand Susan Henning nett. Obwohl er immer wieder etwas hektisch wirkte, war er freundlich und bemühte sich sogar, ihr in Pausen das eine oder andere zu erklären. Er wurde nie zornig, wenn sie einmal patzte, und er lobte sie – sie fühlte sich wohl bei ihm. Und sie hatte manchmal das Gefühl, dass er sie zumindest nicht ganz unbegabt fand.

Also hatte sie am Abend vorher in ihrem Schlafzimmer die Szenen schon einmal heimlich für sich geprobt. Die erste erschien ihr nicht so schwierig: Sandra kam an, stieg aus dem Zug aus und sah sich suchend auf dem Bahnsteig um. Dann kam schon der Schnitt. In der nächsten Szene, die im Drehbuch stand, würde man Julian sehen, der als Leon wie immer im letzten Moment angewetzt kam, um Sandra abzuholen. Die beiden würden sich begrüßen – da war nicht viel Text zu sprechen, für Susan nur ein erneutes: „Hallo, ich bin Sandra!“ und „Nett, dass du mich abholst.“ Aber ein wenig grauste ihr davor, denn diese Worte würde sie zunächst auf dem Bahnhof und dann noch einmal haargenauso im Tonstudio sagen müssen.

Fritzi hatte es ihr am Vortag in aller Ruhe erklärt: „Wir können natürlich nicht den ganzen Münchner Hauptbahnhof stilllegen. Abgesehen davon, dass das ein Vermögen kosten würde, würde die Bahn nicht mitspielen. Daher ist die Chance gering, dass wir in dem Moment, in dem du mit Julian den Dialog sprichst, genau die Atmosphäre drumrum haben, die wir haben wollen. Also machen wir auf dem Bahnhof nur eine kleine Arbeitstonspur – die, die wir nachher senden, nehmen wir dann später im Tonstudio auf."

„Das heißt also, auf dem Bahnhof sage ich gar nichts?", hatte Susan gefragt.

Fritzi hatte gelächelt. „Aber natürlich darfst du was sagen – deinen Text! Die Lippenbewegungen und den Gesichtsausdruck brauchen wir ja. Und wir nehmen dich auch auf. Du kriegst ein Mikrofon angesteckt. Über das Band, das der Tonmeister davon macht, kann er hinterher kontrollieren, ob du im Tonstudio genau im gleichen Rhythmus und mit der gleichen Betonung sprichst – und das musst du, weil sonst Bild und Ton nicht zueinander passen würden. Übrigens: den Vorgang nennt man ‚Loop' und er ist ganz normal bei Außenaufnahmen. Du wirst dich daran gewöhnen, wenn du länger hier bist. Julian und Jasmin stehen jede Woche für mindestens einen halben Tag im Tonstudio zum Loopen." Fritzi hatte ihr auf die Schulter geklopft. „Mach dir deswegen keinen Kopf! Es ist ein Fitzelgeschäft, man braucht viel Konzentration dafür – aber unsere Tonmeister sind darin sehr erfahren und helfen dir durch."

Zunächst einmal musste Susan aber zum richtigen Zeitpunkt aus dem Zug aussteigen – und sie würde dabei zwei sehr interessierte männliche Beobachter haben: Ihr Vater und Flups hatten sich nämlich nicht davon abhalten lassen, sie zu begleiten.

„In die Produktion nimmst du uns ja nicht mit, also nützen wir die Gelegenheit, auf dem Bahnhof Statisten zu spielen. Ich hab mir extra dafür freigenommen!“, hatte Maximilian lachend gesagt und Flups hatte prompt dazugesetzt: „Vielleicht werden wir ja auch für den Film entdeckt? So schön wie du sind wir schon lange!“

Susan kam sich ein bisschen komisch vor, als sie nun, Vater und Bruder im Schlepptau, über den Münchner Bahnhof zum vereinbarten Treffpunkt an Gleis 16 marschierte. Hoffentlich ging nichts schief! Es wäre zu peinlich, vor dem schadenfrohen Flups eine Panne zu verursachen! Er würde ihr das sicher noch in 101 Jahren aufs Butterbrot schmieren.

Susan war froh, unter der Bahnhofsuhr Pit zu entdecken, der schon etwas ungeduldig von einem Fuß auf den anderen trat.

„Guten Morgen!“, grüßte sie freundlich und zu ihrem Erstaunen lächelte er sie an. Es war wohl doch von Vorteil gewesen, Papi mitzubringen? Immerhin veranlasste er Pit zu einem Lächeln und dazu, ihr die Hand zu geben.

„Morgen, Susan.“ Eine angedeutete Verbeugung. „Guten Morgen, Herr Doktor Bernardin.“ Schließlich noch ein Nicken für den Jüngsten in der Familie. „Hallo, Felix! – Su hat erzählt, dass Sie unsere Statisterie auffüllen. Das ist toll, wir sind nämlich ein bisschen knapp mit Leuten. Ich hätte schon fast meinen Vater mitgebracht, aber der wollte nicht so früh aufstehen.“ Pit grinste und sah damit direkt nett aus. „Herr Doktor Bernardin – wenn Sie mit Ihrem Sohn vielleicht zu meiner Kollegin hinübergehen würden? Die blonde junge Dame, die dort auf der Bank steht …“

Susan, Maximilian und Flups schauten hinüber, Susan musste fast lachen: Fritzis Sekretärin hatte ihren großen Auftritt. Sie stand, in einen knallroten Overall gekleidet, auf einer Bank und wedelte mit einem Blatt Papier, dabei kickste sie mit angestrengter Stimme über den Bahnhofslärm hinweg: „Statisten für ‚Gute und schlechte Tage‘ bitte alle zu mir! Bitte sammeln Sie sich hier!“ Wahrscheinlich würde sie, wenn sie ihre Schäfchen erst zusammengetrieben hatte, stockheiser sein! Doch immerhin wirkte ihr Kommandoton auch auf die zwei Bernardins. Maximilian klopfte seiner Tochter noch einmal auf die Schulter. „Mach’s gut, Fernsehstar! Flups und ich reihen uns nun beim Fußvolk ein. Bis später!“ Damit verschwanden die beiden.

„Ich muss wohl erst mal in die Maske?“, fragte Susan Pit. Der nickte und nahm ihren Arm, um sie durch das Gedränge zu steuern.

„Frag nicht, was wir heute Morgen schon für einen Heckmeck mit der Bahnpolizei hatten! Der Heini von der Verwaltung hat vergessen den Diensthabenden von der Nachtschicht zu informieren. Ich durfte eine halbe Stunde lang mit dem diskutieren, bis er uns erlaubt hat, unseren Lkw und den kleinen Trailer reinzufahren! Der arme Henning war schon wieder dem Nervenzusammenbruch nahe!" Pit hingegen sah aus, als ob ihm der morgendliche Ärger auch noch Spaß gemacht hatte – er lächelte Susan sogar an! Und die konnte es sich nicht verkneifen, ein wenig spitz zu sagen: „Hey, du lächelst ja!"

„Und?" Jetzt lächelte er sogar noch mehr.

„Wenn du so weitermachst, fange ich glatt an zu glauben, dass du mich gar nicht so grässlich findest", feixte sie. Pit hob eine Augenbraue.

„Iiih – wie käme ich denn dazu? Du weißt doch: Ich steh nicht auf blond." Pit kicherte, offensichtlich war er an diesem Morgen mehr als gut gelaunt.

Mittlerweile waren sie bei dem Wohnmobil angekommen, das ein Stück vom Bahnsteig entfernt parkte und von einem grimmig aussehenden Bahnpolizisten bewacht wurde. Pit nickte ihm zu, offenbar hatten die Herren schon früher Bekanntschaft miteinander gemacht. Dann schob er Susan durch die offene Tür.

„Bis später", rief er.

Susan sah ihm nach, wie er mit langen, energischen Schritten über den Bahnhof eilte, zielbewusst wie immer.

Irgendwie hatte sie sich in den letzten Tagen an ihn gewöhnt. Und auch wenn sie es ihm gegenüber nie zugegeben hätte: Sie hatte angefangen, ihn ein bisschen zu bewundern. Offensichtlich wusste er nicht nur, was er wollte, sondern auch, wie er es bekommen konnte. Und er hatte von dem, was er tat, eine Menge Ahnung. Seine Anweisungen waren klar und überzeugend, selbst der muffige Chef-Kameramann folgte ihm ohne Murren. Henning Thornow schien sich blind auf Pit zu verlassen und war immer für seine Vorschläge aufgeschlossen und selbst Fritzi fragte ihn manchmal nach seiner Meinung.

Pit war auf seine Art nicht weniger interessant als sein berühmter Vater, und offensichtlich schaffte er es, sämtlichen Mitgliedern des Teams durch sein Auftreten klar zu machen, dass er mehr als „Papis Liebling" war. Susan war sicher: Er würde einmal ein hervorragender Regisseur werden, vielleicht sogar ein noch besserer als Henning Thornow, da er anscheinend nie aus der Ruhe zu bringen war.

Der Einzige in der Mannschaft, der ihn nicht leiden konnte, war Julian – und das schien auf Gegenseitigkeit zu beruhen. Pit ließ sich nichts davon anmerken und war immer höflich zu Julian, aber der giftete bei jeder Gelegenheit. Susan staunte manchmal, wie sie selbst darauf reagierte. Obwohl sie Pit anfangs so grässlich gefunden hatte und obwohl sie unzweifelhaft in Julian verknallt war, fand sie dennoch, dass Julian bei seinen Angriffen auf Pit öfter im Unrecht war. Wahrscheinlich war er bloß ein wenig eifersüchtig, weil Pit Hennings Vertrauen genoss, weil alle auf ihn hörten, während Julians Einwände oft genug nur mit einem Achselzucken beantwortet wurden.

Susan hatte das Make-up hinter sich und von der Gardobiere einen Rucksack und den bunten Anorak vom ersten Drehtag umgehängt bekommen. Jetzt stand sie im Zug, den Türgriff schon in der Hand. Sie hatte die Szene dreimal mit Henning geprobt und es war ihr fast ein bisschen lächerlich vorgekommen, etwas so Einfaches wie das Aussteigen aus einem Zug so oft zu üben. Doch immerhin war wieder einmal eine Markierung zu beachten und außerdem hatten Fritzis Sekretärin und Pit die Statistenherde im Zug und auf dem Bahnsteig richtig zu dirigieren.

Jetzt waren die Kameras in Position, die Scheinwerfer, die ringsum aufgestellt waren, warfen ihr gleißendes Licht über die Szenerie und das Scriptgirl stand mit ihrer Klappe bereit, den Blick zu Henning Thornow gewandt, der noch mit seinem Kameramann konferierte. Endlich war er fertig – keine Sekunde zu früh, denn die in der Bewegung eingefrorene Zuschauermenge schien langsam unruhig zu werden.

„Ruhe, wir drehen!“, brüllte das Scriptgirl „GUST 58, Szene 47, die erste!“ Die Klappe fiel, Susan atmete noch einmal tief durch und drückte den Türgriff hinunter. Zum Glück konnte sie diesmal auf ihre Markierung schauen – jeder, der aus einem Zug steigt, schaut auf seine Füße, das würde also nicht komisch wirken.

„He, Sie da drüben ...“ Henning Thornows genervte Stimme gellte über den Bahnsteig. Eine dickliche ältere Frau errötete und trat einen Schritt zurück.

„Cut!“, rief Pit und schüttelte den Kopf. Dann ging er zu der Frau hinüber und erklärte ihr leise, dass sie bitte schön zu tun habe, was vorher ausgemacht war. Susan kletterte unterdessen wieder in den Zug, zurück auf die Ausgangsposition. Maximilian folgte ihr.

„Geht das öfter so?“, fragte er.

„Dauernd.“ Susan lächelte. „Wenn wir keine Statisten haben, die falsch stehen, ist das Licht nicht perfekt oder dem Kameramann passt irgendwas nicht oder einer von uns macht das falsche Gesicht oder wir bewegen uns zu steif ...“

„Hmm ...“ Maximilian nickte und reckte den Hals um nach Flups zu sehen, der irgendwo am Rand der Menge wartete. „Langsam verstehe ich, warum es eine Woche dauert um vierundvierzig Minuten Film zu erstellen. Wenn das immer in dem Tempo geht, ist's eigentlich ein Wunder, dass die das überhaupt schaffen!“

„Wart's mal ab, wenn wir hier richtig in Schwung kommen, geht es dann ganz schnell!“ Susan schaute zu Henning Thornow hinüber, der die Mütze abgenommen hatte und sich am Kopf kratzte. Massenszenen kosteten ihn immer Nerven. Immerhin schien Pit nun die Herde wieder richtig geordnet zu haben.

„Müller, hast du's?“, fragte er seinen Kameramann. Der nickte. „Okay, dann können wir ...“

Das Scriptgirl ging zum zweiten Mal in Position. „Ruhe, wir drehen! GUST 58, Szene 47, die zweite!" Und wieder drückte Susan die Türklinke hinunter und wollte aus dem Zug klettern, doch diesmal klemmte die Tür. Susan rüttelte, doch sie wollte nicht gleich aufgehen.

„Cut!", brüllte Thornow. „Susan, was ist denn?"

„Die Tür klemmt!"

„Mist! Du musst richtig drücken!"

Jetzt sprang die Tür auf, wurde von Pit, der herbeigeeilt war, aber sofort wieder zugeschlagen.

„Du musst den Griff unten halten und gleichzeitig dagegen drücken!", erläuterte er durch das offene Fenster.

„Ich tue mein Bestes", versprach Susan.

„Fertig?", fragte Thornow und der dritte Versuch nahm seinen Lauf. Leider war er auch nicht gelungener als die beiden vorangegangenen. Diesmal brachte Susan die Tür zwar auf, aber dafür kollidierte ein eiliger Reisender mit einem der Lichtständer, was den Kameramann zu einem wütenden Fluch und Thornow zu einem ungeduldigen: „Cut – noch mal von vorne! Und passt doch ein bisschen besser auf die Leute auf!" veranlasste.

Versuch Nummer vier war ebenfalls ein Fehlversuch, diesmal verursacht durch den auf dem Nebengleis einfahrenden Zug, dessen schrill quietschende Bremsen sämtliche Statisten erschreckten und zum Hüpfen brachten.

„Ich sag's doch immer: Außenaufnahmen sind der

Tod des Regisseurs", stöhnte Thornow. „Noch mal, ihr Lieben – vielleicht schaffen wir es jetzt!"

Er bekam, was er sich wünschte: Selbst sein Kameramann fand die fünfte Klappe „perfekt". Doch Thornows gute Laune schien etwas gelitten zu haben – Pits Frage, ob man zur Sicherheit eine Wiederholung drehen sollte, wurde nur noch mit einem Knurren beantwortet.

Nun kam auch Julian endlich am Drehort an. Gelassen, die Hände in den Taschen seiner Lederjacke vergraben, schlenderte er über den Bahnsteig, neben ihm drei Mädchen, die sich offensichtlich vor Begeisterung darüber, ihren Schwarm von nahem zu sehen, kaum mehr einkriegen konnten. Susan grinste in sich hinein – obwohl Julian den Coolen spielte, genoss er die weibliche Verehrung sichtlich in vollen Zügen. Jedenfalls blieb er willig stehen, um einem der Mädchen ein Autogramm auf den Arm zu schreiben, die andere bekam eines auf ihre Schultasche und die dritte wurde sogar mit einem Kuss auf die Wange beglückt.

„Julian van Eycken, würde es dir viel ausmachen, deinen werten Hintern mal langsam in diese Richtung zu bewegen? Wir haben hier noch eine Kleinigkeit zu arbeiten!"

Susan hörte Pits Stimme und zog ein wenig die Nase aus. Warum gönnte er Julian seinen Fans nicht wenigstens für einen Moment? Kameramann Müller rannte noch mit seinem Belichtungsmesser in der

Hand über den Bahnsteig und schimpfte über die Neonröhren, die ihm seine Effekte vermasselten. Er würde bestimmt noch zehn Minuten brauchen, bis er wieder bei seiner Kamera war. Es hätte wirklich nicht Not getan, dass Pit Julian von den Mädchen trennte. Wahrscheinlich war er einfach neidisch, weil nie ein Mädchen hinter ihm herkreischte.

Immerhin war Julian nun neben Susan angekommen und beugte sich zu ihr herunter. Die letzten Tage hatte er sie immer mit einem kameradschaftlichen Kuss auf die Wange begrüßt, so tat er es auch an diesem Morgen.

„Tach, Kleine!" Susan mochte es nicht besonders, von ihm „Kleine" genannt zu werden. „Unser Herr Regieassistent scheint ja heute Morgen schon wieder mächtig in Form zu sein, was?"

„Nicht nur Pit!" Susan blinzelte zu Thornow hinüber. „Henning flippt fast aus wegen den Massenszenen."

„Das tut er, seit ich ihn kenne! Bisher hat er es immer gut überstanden", antwortete Julian ungerührt.

„Ich werde es aber nicht überstehen, wenn du noch lange hier stehst und rumquatschst!" Thornow war zu ihnen getreten, zwei steile Ärgerfalten auf der Stirn. „Wenn wir hier nicht bald fertig werden, kriege ich wirklich die Krise. Also, lasst uns ganz schnell den Rest der Szene proben! Susan, du kennst deine Position und deinen Text? Du darfst hier ruhig ein bisschen verloren und irritiert wirken. Und unser

Julian zeigt unterdessen Leons siegessicheres Strahlelächeln, was ihm ja nicht weiter schwer fallen dürfte.“ Er schaute Julian an und wies mit ausgestrecktem Arm auf die Uhr vorne am Bahnsteig. „Du kommst von da vorne und verkneif dir bitte diesmal mit den Hüften zu schaukeln wie ein Cowboy nach dem Rodeo!“

„Wieso sollte ich mit den Hüften schaukeln?“

„Weil du das immer machst, wenn irgendwelche von deinen Hühnern in der Nähe sind“, knurrte Thornow. „Susan, können wir? Oder hast du noch eine Frage?“

„Nein, eigentlich ist alles klar.“

Offensichtlich war heute ihr Glückstag, denn zehn Minuten später, nach zwei kurzen Durchlaufproben, klatschte Thornow in die Hände und strahlte sie an: „Du machst das klasse, Süße! Genau so will ich das jetzt für die Kamera haben. Wenn ich dieser blöde Leon wäre, würde ich mich sofort in dich verknallen.“ Susan wurde rot. Thornow blinzelte ihr noch einmal zu und rief dann nach dem Tonmeister.

Wenig später ging die berühmte „Sandra und Leon lernen sich kennen“-Szene viel schneller als irgendjemand erwartet hatte, über die Bühne: Susan stellte sich in Position und schaute sich suchend um, während Julian den Bahnsteig entlangeilte. Er blieb vor ihr stehen, setzte sein strahlendes Leon-Lächeln auf und sagte: „Grüß dich! Ich bin Leon Elmenhorst und soll dich abholen.“

Susan erwiderte darauf: „Hallo, ich bin Sandra. Nett, dass du mich abholst!“

Und dann nahm Julian-Leon ihren Rucksack und sie marschierten gemeinsam fünf Schritte, bis sie Henning Thornows zufriedenes: „Cut! Das war's, ihr Lieben!“ hörten. Der Regisseur nahm seine Kappe ab, rieb sich mit einem großen, karierten Taschentuch über die verschwitzte Stirn und sagte: „Das nehmen wir, wie es war. Susan, du warst spitze!“ Er drehte sich um, schlug Pit auf die Schulter und winkte zum Kameramann: „Müller, pack ein – lass uns zusehen, dass wir Land gewinnen! Wir müssen heute Nachmittag noch drei Einstellungen mit Julian drehen und ich habe eigentlich nicht vor, die Nacht damit zuzubringen!“

Susan war für heute entlassen und fühlte sich fast ein wenig seltsam, als sie neben ihrem Vater und Flups in Richtung Ausgang marschierte. Dass das schon ihr ganzer Arbeitstag gewesen sein sollte? Es war erst elf Uhr! Sie war gar nicht mehr daran gewöhnt, einen ganzen Nachmittag zu ihrer freien Verfügung zu haben! Aber sie wusste schon, was sie damit anfangen würde. Sie brauchte bloß an den süßen, knallroten Ledermini zu denken, den sie vor kurzem in einer Boutique gesehen hatte. Er war ziemlich teuer, vom Taschengeld hätte sie ihn sich bestimmt nicht leisten können. Aber nach einer Woche harter Arbeit und gutem Einkommen beim Film – Susan fand, dass sie dafür den roten Mini verdient hatte. Außerdem würde sie morgen mit

Julian van Eycken ausgehen und wenn sie ihrer Mutter noch diese Wahnsinns-Pumps abschwatzen konnte, die sie letztes Jahr in Verona gekauft hatte … dann würde Julian bestimmt in der Disko keine andere angucken!

„Wartest du auf jemanden?“ Pit kaute mit vollen Backen, dabei ließ er seinen Teller, den er mit Würstchen, Steak und Kartoffelsalat voll geladen hatte, nicht aus den Augen.

„Nein“, sagte Susan, schlug die Beine in dem knallroten Ledermini übereinander und bemühte sich, nicht auf die Uhr zu schauen. Es waren bestimmt nicht mehr als fünf Minuten vergangen, seit sie das letzte Mal geguckt hatte – und da war es drei viertel sieben gewesen. Wo steckte bloß Julian? Eigentlich hatte er doch gesagt, er würde um sechs kommen! Ob ihm wohl etwas passiert war? Oder hatte er es sich einfach anders überlegt? Aber dann hätte er doch angerufen, oder? Er würde sie nicht einfach versetzen. Susan war sicher, oder doch nicht? Julian war so schwer einzuschätzen. Es schien, als ob er sich auch auf die Verabredung gefreut hätte. Andererseits war er, wie er selbst gesagt hatte, nicht scharf auf Familienfeste. Und außerdem war er bestimmt nicht scharf auf Pit.

Aber wer war schon scharf auf Pit? Susan bestimmt

nicht. Sie sah ihm leicht genervt zu, wie er noch eine Gabel mit Kartoffelsalat in den Mund schaufelte.

„Schmeckt toll!“, verkündete er mit vollen Backen. „Magst du nicht auch was?“

„Nein, danke.“ Susan sagte es etwas spitz. Konnte er nicht jemand anderen mit seiner Anwesenheit beglücken? Es standen doch wohl genug Leute im Garten herum und darunter waren bestimmt einige, die sich freuen würden, von ihm unterhalten zu werden. Ihre Großtante Agathe zum Beispiel! Die hatte eingeladen werden müssen, weil sie sonst wieder wochenlang geschmollt hätte, und sie war bestimmt ganz verrückt danach, Peter Pierson persönlich zu treffen, denn schließlich schwärmte sie schon seit Urzeiten für seinen Vater. Und wenn der erst auftauchen würde, würde ihre Seligkeit komplett sein!

Susan fürchtete allerdings, dass sie sich dann hinter dem Komposthaufen verstecken musste. Es war schon peinlich genug gewesen, dass Tante Agathe sich vorher im Angesicht des heftig grinsenden Pits auf sie gestürzt und gerufen hatte: „Suse, Kind, ich bin ja so stolz auf dich! Ein Fernsehstar in unserer Familie!“ Abgesehen davon, dass Susan es hasste, „Suse“ genannt zu werden, konnte sie sich nun ausrechnen, dass Pit ihr in den nächsten drei Wochen mindestens einmal täglich den „Fernsehstar“ unter die Nase reiben würde. Jedenfalls hatte er ausgesehen wie ein Kater, der gerade den Kanarienvogel verspeist hat. (Dabei waren es doch nur Würstchen gewesen!)

Susan wippte ungeduldig mit den Beinen und bemühte sich, über Pits Schulter hinweg auf die Straße zu sehen. Da musste jetzt jeden Moment Julians rotes Cabrio auftauchen. Und dann würde sie natürlich von der Mauer hüpfen und ihm entgegenlaufen. Wo er nur blieb?

„Sag mal, kann es sein, dass du auf unseren Superstar wartest?“, fragte Pit nun. Er hatte ausnahmsweise den Mund leer, aber den Teller noch nicht. Da lag immer noch ein Steak.

Susan beschloss, die Frage falsch verstanden zu haben, und erwiderte leichthin: „Natürlich, ich war schon lange scharf darauf, deine Mutter kennen zu lernen.“

„Ach ne? Du hast dich wegen Alexa auf diesen Beobachtungsposten geschwungen?“ Pit hatte seinen Teller nun neben ihr platziert und begann, das Steak systematisch in mundgerechte Stückchen zu zerlegen. „Wer's glaubt, wird selig!“

Susan hatte genug von der Konversation und schwang sich von der Mauer. Sie würde – äh, ja, was denn eigentlich? Gucken gehen, ob an ihres Vaters Auto noch sämtliche Lichter dran waren? Oder Straßenlaternen zählen? Auf jeden Fall würde sie nun mal vor den Garten gehen und nachschauen, was sich da tat. Vielleicht hatte sich Julian ja verfahren und konnte das Haus nicht finden? Vielleicht irrte er auf der Straße herum?

„Falls deine frohe Erwartung doch nicht meiner Frau Mama, sondern dem unwiderstehlichen Julian gelten sollte – dann kannst du noch mal Platz nehmen. Den hat Henning nämlich zum Nachdreh verdonnert, die müssen ein paar Szenen noch mal machen“, sagte Pit nun. Susan fuhr auf dem Absatz herum.

„Das ist schön, dass ich das auch schon erfahre!“, fauchte sie und biss sich im gleichen Moment auf die Zunge. Sie hatte doch nicht zugeben wollen, dass sie auf Julian wartete! Himmel, warum schaffte es dieser Pit nur immer, sie derart zu nerven?

„Hat er dich nicht angerufen?“ Pit zog einen Mundwinkel nach oben. „Irgendwie scheint er das vergessen zu haben. Tja, das kommt bei ihm hin und wieder mal vor. Weißt du, es ist nicht so ganz einfach, bei so vielen Verehrerinnen den Überblick zu behalten!“

„Manchmal habe ich das Gefühl, du bist nur neidisch auf ihn! Warum hast du eigentlich keine Freundin? Hat sich noch keine gefunden, die sich deine giftigen Kommentare anhören möchte?“, fauchte Susan.

Pit ließ sich davon die Laune nicht verderben. Er steckte ein Stück Steak in den Mund und kaute genüsslich darauf herum. „Hmmm, schmeckt wirklich toll! Vor allem diese Marinade, die dein Vater da verwendet – sensationell! Wenn ich du wäre ...“, er schluckte und lächelte, „würde ich nur wegen dem Superstar Julian nicht auf so gute Steaks verzichten. Das ist er nicht wert.“ Er angelte eine bunte Serviette aus seiner Hosentasche, tupfte sich den Mund ab und schwang sich auf die Mauer. „Was aber deine Frage nach mir und den Frauen angeht, will ich dir eins sagen: Ich spiele nicht rum. Entweder ich mag ein Mädchen – richtig und mit allem, was dazugehört – oder ich lasse die Finger von ihr. Und bis ich die habe, die ich wirklich mag, vertreibe ich mir die Zeit mit diesen großartigen Steaks."

„Ach ja", sagte Susan. „Verrätst du mir auch, was bei dir alles dazugehört?" Pit hatte nun seinen Teller leer gegessen, er wischte sich noch einmal den Mund ab, dann zog er ein Knie hoch und stützte das Kinn darauf. Sein schmales, sonst meistens ernstes Gesicht sah plötzlich weicher aus.

„Für mich ist vor allem wichtig, dass ich mit ihr reden kann. Ich brauche keine zum Vorführen, eine, die bloß an Mode und Diskos interessiert ist. Ich will eine, die ein bisschen was in der Birne hat, die weiß, was sie will. Ich brauche eine, die Verständnis dafür hat, dass mir mein Studium wichtiger ist, als jeden Abend auf die Piste zu gehen ..."

„Studium?", unterbrach Susan. „Ich denke, du arbeitest als Regieassistent. Willst du aufhören?"

„Nein. Im Gegenteil. Ich will Regisseur werden, darum mache ich jetzt den Job. Und im Herbst gehe ich an die Filmakademie. Im Gegensatz zu Julian bin ich nämlich der Meinung, dass man sein Handwerk ordentlich lernen sollte."

„Und selbstverständlich müsste deine Freundin es mindestens genauso ernst nehmen wie du", sagte Susan etwas spitz. Pit blieb ruhig.

„Ja. Ich will nicht mein Leben lang Serien drehen. Das ist ganz spaßig für den Anfang. Aber wenn du ehrlich bist: Würde es dir denn reichen, ewig irgendwelche blonden Sandras abzugeben? Würdest du nicht auch viel lieber mal was spielen, was dich richtig fordert?"

„Wie meinst du das?", fragte Susan vorsichtig.

„Na, du hast doch Talent! Du hättest doch mehr drauf als diese dämliche Sandra. Außerdem hast du eine tolle Stimme und ein ausdrucksvolles Gesicht. Ich könnte mir dich gut in einem Krimi vorstellen – ein bisschen undurchsichtig, ein bisschen verrückt vielleicht ..."

„Du findest mich verrückt?" Susan hatte mal wieder nur das Letzte gehört. Pit lächelte.

„Mein Vater würde dir wahrscheinlich erklären, dass man ziemlich klar bei Sinnen sein muss um einen Durchgeknallten wirklich gut zu spielen. Und weil wir gerade von ihm reden ..." Sein Lächeln wurde breiter. „Mach Platz nun, Elfchen, hier kömmt Oberon!", zitierte er Shakespeares Sommernachtstraum, dabei deutete er mit dem Kinn auf das Gartentor.

Susan drehte sich um und sah Philip Pierson, in einen hellen Leinenanzug gekleidet, den Arm locker um die Schulter seiner Frau gelegt. Susan musste für einen Moment die Luft anhalten: Alexa Hinrichs sah in ihrem engen weißen Kleid umwerfend aus. Sie hatte die roten Haare zu einem strengen Ballerinaknoten hoch gesteckt, der die feine Linie ihres

Halses betonte. Ihr Gesicht mit den großen, grünen Augen war ungeschminkt. Susan erkannte feine Lachfältchen um ihre Augen herum.

„Oh, meine Lieblingsschülerin und mein Lieblingssohn!“ Philip zeigte seine blitzeweißen Zähne und nahm die Hand von der Schulter seiner Frau um sie Susan entgegenzustrecken. „Grüß dich, Jungstar!“ Er hielt ihre Hand in der seinen, als er sich seiner Frau zuwandte. „Das, meine Schöne, ist die junge Dame, von der Henning dir heute Morgen so ausführlich vorgeschwärmt hat: Susan Bernardin.“

Susan fühlte sich plötzlich wie ein ganz kleines Mädchen. Alexa Hinrichs war wirklich beeindruckend!

„Du bist also die Entdeckung des Jahres – wenn ich meinem Sohn glauben darf.“ Alexa betrachtete Susan eingehend.

„Das hat Pit gesagt?“ Susan konnte es kaum fassen. Sie geriet ins Stottern, besann sich aber schnell und beschloss, erst einmal guten Tag zu sagen. Dabei schielte sie zu Pit hinüber, der die Stirn in Falten gelegt hatte und nun richtig grimmig aussah.

„Ich hab nicht gesagt, dass sie die Entdeckung des Jahres ist“, brummte er. „Ich hab bloß gesagt, dass sie sich gar nicht dumm anstellt ...“

„Ach?“ Alexa Hinrichs lächelte. „Hast du gestern Abend nicht erzählt, dass sie eine gute Besetzung für Vaters nächste Theaterinszenierung wäre?“

Susan spitzte die Ohren – Theaterarbeit? Sie hatte gehört, dass Philip Pierson für den Winter eine Inszenierung des „Sommernachtstraums“ von Shakespeare vorbereitete. Wenn sie da mitspielen dürfte – Susan würde ihren kleinen Finger dafür geben! Und Pit hatte sie vorgeschlagen? Anscheinend hielt er doch was von ihr, auch wenn er das bisher noch nie gezeigt hatte.

„Wenn schon ein Mädchen, dann eines mit langen Beinen und dunkler Stimme“, sagte Pit mit fester Stimme. „Und die hat Susan. Wenn Papa sie noch ein bisschen dressiert, wäre sie ein toller Puck.“

Susan war froh: Den Sommernachtstraum hatten sie in der Schule im letzten Jahr gelesen. Sie hatte sogar noch eine Zeile von Pucks Text parat. Lächelnd sagte sie. „Wie ich auch den Wald durchstrich, kein Athener zeigte sich …“

„Gut!“, lobte Philip. „Allerdings bin ich an Athenern gerade wenig interessiert. Ich würde lieber deine Eltern begrüßen!“

„Oh, natürlich …“ Susan wollte schon vorausgehen, doch das Brummen eines starken Motors ließ sie stocken. Ja, da kam Julian! Schwungvoll fuhr er sein rotes Cabrio in die Einfahrt zur Garage, kletterte heraus und sprang mit einer eleganten Flanke über das Gartentürchen. Er hatte sich eine gelbe Nelke zwischen die Zähne geklemmt und verbeugte sich mit einem großen Ausfallschritt und einem breiten Grinsen vor Susan.

„Verzeih, Kleine, dass ich so spät bin. Thornow konnte mal wieder nicht genug kriegen von mir!“

„Das geht ihm wohl öfter so, nicht wahr?“ Alexa Hinrichs’ Lächeln konnte nicht darüber hinwegtäuschen, dass in ihrem Ton eine kleine Spitze steckte. Julian überreichte Susan die Nelke und deutete gegenüber Philip und seiner Frau eine Verbeugung an.

„Ich freue mich, Sie wieder zu sehen, gnädige Frau!“ Und zu Susans Erstaunen beugte er sich zu einem formvollendeten Kuss über Alexas Hand. Darüber musste sogar Pit für einen winzigen Augenblick lächeln – aber wirklich nur für den. Sein Gesicht wurde sofort wieder ernst und sein Mund verkniffen.

Eigentlich, dachte Susan, hatte sie gar keine Lust auf Disko. Julian hatte sich bei ihren Eltern vorgestellt, er hatte – ganz wohlerzogen – die Steaks gelobt und mindestens zweimal vom Kartoffelsalat genommen, er hatte sich sogar ein paar Minuten mit Tante Agathe unterhalten und dann mit ihr und Flups die Lampions angezündet. Jetzt standen sie gemeinsam unter dem alten Birnbaum, Susans Lieblingsplatz im Garten. Versonnen tippte sie an ihre alte Kinderschaukel. Flups hatte einen sonnengelben Lampion darangehängt, sein warmes Licht fiel auf den blühenden Oleander und das kleine Bänkchen, das unter dem Birnbaum stand.

Nein, eigentlich hatte sie wirklich keine Lust auf Disko. Es war so schön jetzt im Garten! Die Luft war vom Duft nach Sommer erfüllt, der Himmel dehnte sich in dunklem Samtblau über ihnen und von der Terrasse klang leise Musik.

Susan war danach, sich jetzt mit Julian auf das Bänkchen zu setzen, ihren Kopf an seine Schulter zu lehnen, seine Wärme zu spüren und einfach ein bisschen in den Nachthimmel zu träumen. Himmel, ging es ihr gut! Sie hatte gerade die erste Folge einer Fernsehserie gedreht und sie war gut darin gewesen! Pit hatte es ihr noch einmal bestätigt! Und er hatte sogar verraten, dass Henning Thornow in der Besprechung mit den Drehbuchautoren gesagt hatte, man könne die Sandra-Rolle ruhig ein bisschen ausbauen. Vielleicht würde Sandra Leons neue Freundin? Dann würde sie Julian zu küssen haben – auf dem Set, unter dem Licht der Scheinwerfer ...

Nein, eigentlich war es das nicht, was sie wollte. Es wäre viel schöner, ihn jetzt hier, im Garten, unter dem Birnbaum zu küssen, ohne Zeugen, ohne auf Positionen achten zu müssen. Einfach nur küssen, seinen weichen Mund spüren, sein Lächeln wieder sehen – er hatte sie vorher, als sie die Lampions angezündet hatten, so zärtlich angelächelt! Ihr Herz hatte einen ganz schnellen Plumpser gemacht und einen Moment war sie sicher gewesen, dass er sie jetzt gleich küssen würde. Aber er hatte es nicht getan – was wahrscheinlich auch besser war, weil Flups nur einen Meter von ihnen entfernt gestanden hatte. Und auf die dummen Kommentare ihres Bruders konnte sie in diesem Fall verzichten. Lieb von Julian, dass er darauf Rücksicht genommen hatte. Überhaupt konnte er so lieb sein, wenn sie mit ihm alleine war und er sich nicht ewig mit Pit streiten musste!

Und er sah so gut aus, wie er nun am Stamm des Birnbaums lehnte! Das weiße Hemd mit dem kleinen Stehkragen betonte seine dunkle Haut, die weiße Jeans seine schmalen Hüften. Der leichte Nachtwind strich durch seine Haare, wieder einmal fiel ihm eine seidige Strähne in die Stirn. Susan konnte einfach nicht widerstehen – sie stellte sich auf die Zehenspitzen und strich mit einem Finger die Strähne zurück. Julian lächelte, fasste nach ihrem Handgelenk und hielt es fest. Langsam drehte er ihre Hand und zog sie an seinen Mund.

Susan meinte plötzlich, dass ihr Herzklopfen über die Musik hinweg hörbar sein müsste – Julian küsste ihr Handgelenk! Susans Knie wurden weich.

„Julian …“, sagte sie leise.

„Hmm“, brummte er. Susan hob den Kopf, im Licht des Lampions konnte sie seine dunklen Augen sehen, die Wimpern, die halbmondförmige Schatten auf seine Wangenknochen warfen. „Du bist süß, Susan …“ Jetzt strichen seine Lippen über ihre Nase, verweilten auf ihrer Oberlippe, einen Moment, der Susan fast zu lang vorkam. Und jetzt, jetzt küsste er sie wirklich! Es war noch viel schöner, als sie erträumt hatte, es war das Schönste, was sie je erlebt hatte – und noch nie war sie so glücklich gewesen!

Nein, in diesem Moment dachte sie nicht mehr daran, wie sehr ihre Freundinnen in der Schule sie um einen Kuss von Julian van Eycken beneiden würden. Jetzt war er nicht mehr der Star, der Umschwärmte, jetzt war er einfach nur noch ihr Julian, der Junge, in den sie sich verliebt hatte, als sie ihn das erste Mal auf dem Set gesehen hatte. War das wirklich erst ein paar Tage her? Sie hatte das Gefühl, ihn schon eine Ewigkeit zu kennen!

„Du siehst süß aus und deine Haut schmeckt süß ...“, flüsterte er.

„Julian ...“ Susan fiel nicht mehr ein als sein Name. Julian, das war so ein schöner Name und er passte so gut zu ihm!

„Hmm ...“ Wieder brummte er ganz tief.

„Ich könnte ewig so mit dir hier sein!“

„Das wär aber auf die Dauer langweilig“, fand er. Er gab ihr einen schnellen Kuss auf die Nasenspitze. „Außerdem würde ich mich dann schon wieder verspäten. Ich bin um halb zehn mit Jasmin und der Truppe im ‚Pinocchio‘ verabredet.“ Er schaute über Susans Schulter hinweg auf die Uhr. „Es ist halb neun. Wir sollten uns langsam auf die Socken machen.“

Susan fühlte einen kleinen Piekser vor Enttäuschung. Sie wäre wirklich lieber mit ihm alleine gewesen. Sie wollte ihn nicht schon wieder mit den anderen teilen müssen. Aber natürlich wollte sie kein Spielverderber sein, also stand sie brav auf.

„Ich muss meinen Eltern noch Bescheid sagen und mich von Frau Hinrichs und Philip verabschieden.“

„Klar“, erwiderte Julian. „Der Herr Staatsschauspieler wäre in seiner Eitelkeit tief gekränkt, wenn du nicht noch mal einen Knicks vor ihm machen würdest!"

„Nein", verteidigte Susan ihren Lehrer. „Philip ist nicht so, er ist wirklich okay. Du würdest ihn bestimmt auch mögen, wenn du ihn besser kennen würdest."

„Oh, danke, darauf kann ich verzichten." Julian nahm sie an der Hand und ging langsam mit ihr hinüber zur Terrasse. „Ich hatte einmal das Vergnügen mit seiner Frau – ich hatte mal einen Gastauftritt in einem Film, den sie gedreht hat. Ich sag's dir: Die kann auf dem Set ganz schön zickig werden!"

„Na ja, sie ist ziemlich gut, findest du nicht? – Vielleicht kann ich zu Weihnachten sogar mit ihr Theater spielen", fiel Susan plötzlich wieder ein. In ihrem Glück über den Kuss und dass sie nun zusammengehörten, war die Nachricht des Abends fast untergegangen! Sie hielt Julian fest. „Philip inszeniert den ‚Sommernachtstraum'. Im Dezember ist Premiere und er hat mich gefragt, ob ich den Puck spielen will! Er will den mit einem Mädchen besetzen, als Hosenrolle also, und er meint, das könnte ich gut machen. Ich müsste natürlich vorher noch einiges lernen und mit ihm üben, aber ..."

„Eine Hosenrolle?" Julian zog eine Augenbraue hoch. „Das ist ja einer der ältesten Hüte der Weltgeschichte!"

„Ja. Aber der Puck als Hosenrolle, das ist ziemlich

neu! Philip meint, wenn man ihn als eine Art ‚Zwischenwesen‘ darstellt, weder ganz männlich noch ganz weiblich, könnte man aus seiner Verbindung mit Oberon einiges rausholen."

„Wenn du mir jetzt noch erzählst, wer Oberon ist ..." Julian klang fast ein wenig gelangweilt. „Wie du weißt: Theater lässt mich ziemlich kalt."

„Oberon ist der Feenkönig in Shakespeares ‚Sommernachtstraum‘. Philip wird ihn spielen und selbstverständlich spielt Alexa die Titania, seine Frau", erklärte Susan. „Die beiden werden toll sein! Oberon und Titania zoffen sich fast das ganze Stück hindurch und das können Philip und Alexa unheimlich gut! Hast du mal ihre Verfilmung von ‚Der Widerspenstigen Zähmung‘ gesehen? Da haben sie sich gekloppt – Alexa hat ihm eine Pfanne über den Kopf gehauen ..."

„Huh!", kicherte Julian. „Vielleicht sollte ich mich doch mehr für Theater interessieren. Ich habe mal gehört, zu Shakespeares Zeiten seien alle Frauenrollen von Männern gespielt worden. Die Sitte sollte man wieder aufleben lassen!"

„Susan? Hast du dich schon hingelegt?" Olivia Bernardin betrat auf Zehenspitzen das Zimmer ihrer Tochter und schaute auf Susan hinunter, die sich in ihrem Lieblings-T-Shirt auf dem Bett zusammengerollt hatte. „Kleines …“, sagte sie zärtlich und ließ sich auf der Bettkante nieder. „So schlimm ist es doch auch wieder nicht!“

Susan hob den Kopf und schnüffelte einmal. „Aber blöd ist es! Die in der Schule werden bestimmt alle über mich lachen. Dabei kann ich doch gar nichts dafür. Wenn ich gewusst hätte, dass der Blödmann so einen Dreck schreibt …“ Sie wischte sich mit der Hand über die Augen. „Kann Papa da nichts machen?“

„Nein.“ Olivia streichelte sanft über Susans Haar. „Was da in der Morgenzeitung steht, ist ja nicht direkt gelogen, oder?“

„Aber …“ Susan richtete sich auf. „Verdammt, das ist so doof! ‚Das Mädchen, das von Millionen beneidet wird‘ – das klingt ja, als ob ich mich wochenlang auf die Lauer gelegt hätte, um Julian einzufangen! Und dann dieser Quatsch: ‚Sie ist süße 16, sie ist blond, sie hat ein bezauberndes Lächeln und es scheint, als ob sie einen der begehrtesten Münchner Junggesellen an die Kette gelegt hätte …‘ Mensch, Mom, ich will den Julian doch nicht gleich heiraten!“ Wütend deutete sie auf die Zeitung, die zusammengeknüllt auf dem Boden lag. „Ich find’s gemein, dass die so einen Mist über mich schreiben dürfen.“

„Tja, Susan, das gehört wohl dazu, wenn man vor der Kamera steht.“

Susan war den Tränen nahe. Sie war am Morgen fast in Ohnmacht gefallen, als sie ihr Foto auf der ersten Seite der Morgenzeitung gesehen hatte. Und darüber die Schlagzeile: „Das Mädchen, das von Millionen beneidet wird“ – dümmer ging es wohl wirklich nicht mehr! Als ob Julian so was wie der Jackpot wäre, den man in der großen Lotterie gewinnen konnte, wenn man nur den richtigen Tippschein ausfüllte!

Und Julian selbst hatte mal wieder den Coolen gespielt. Als sie am Samstagabend aus der Disko gekommen waren und dieser blöde Reporter plötzlich vor ihnen stand, hatte er den Arm um Susans Schulter gelegt und ziemlich ernst gesagt: „He, Ronnie, lass sie in Ruhe! Dreh mich durch den Wolf, aber nicht die Kleine!“

„Wer ist sie denn? Deine neue Partnerin? Ich hab so was läuten hören“, hatte der Reporter gefragt.

„Ja, sie ist meine neue Partnerin“, hatte Julian bestätigt. „Aber sie ist zu jung für deine Spielchen.“

„Na, das werden wir ja sehen!“ Damit hatte der Reporter Susan das Mikrofon vors Gesicht gehalten. „Du hast Julian vorhin beim Tanzen geküsst. Bist du in ihn verknallt?“

Susan hatte nicht gewusst, was sie antworten sollte. Sie hatte sich einfach nur an Julians Hand festgehalten und gesagt: „Ich möchte nicht darüber reden.“

„Das heißt, du bist in ihn verknallt?“

„Das heißt gar nichts!“ Susan hatte versucht ihn loszuwerden. „Können Sie mich nicht einfach in Ruhe lassen?“

„Du willst mit Julian allein sein?“

„Ronnie, komm – es ist gut. Hau ab!“, hatte Julian gefaucht und versucht den Reporter wegzuschieben. „Los, Susan, wir gehen. Der Aasgeier wird schon ein anderes Opfer finden!“ Energisch hatte er Susan zu seinem Cabrio geschubst und war dann mit ihr weggefahren.

Anscheinend hatte dieser Reporter kein anderes Opfer gefunden. Jedenfalls war Susan nun eine Schlagzeile: „Das Mädchen, das von Millionen beneidet wird.“ Oh nein! Flups hatte die Morgenzeitung angeschleppt, er war Brötchen holen gewesen. Er hatte natürlich gelacht und den Quatsch laut vorgelesen – auch, dass Susan gesagt haben sollte, Julian sei der „Boy ihrer Träume“! Nie hätte sie so einen Stuss öffentlich gesagt! Das war ja nur peinlich!

Und jetzt saß Olivia Bernardin auf Susans Bettkante und streichelte ihr Haar.

„So schlimm ist es wirklich nicht! Selbst Philip, der sich oft genug über die Presse aufregt, sagt immer, nichts sei so alt wie die Käseblätter von gestern. Bis du wieder in die Schule kommst, hat die Morgenzeitung so viele andere Schweine durchs Dorf gejagt, dass keiner mehr von dir reden wird.“

„Das hat Henning auch gesagt. Er meint, ich solle es einfach als PR sehen, als gute Werbung für die Serie. Die Leute würden dadurch ganz wild darauf gemacht, mich und Julian in der Glotze zu sehen und dadurch würden unsere Zuschauerquoten steigen ...“

Sie stockte. „Mama?“, fragte sie nach einem Moment. „Denkst du auch, dass Julian bloß mit mir rumspielt?“

Olivia Bernardin atmete tief durch. „Das kann ich nicht beurteilen, Schätzchen. Ich kenne ihn kaum. Er macht einen sehr netten Eindruck, er ist charmant ... aber ...“, sie zögerte einen Moment, sprach dann aber doch beherzt weiter, „er ist nicht unbedingt der, den ich dir ausgesucht hätte.“

„Wieso?“, fragte Susan.

„Weil er mir etwas zu oberflächlich erscheint. Um ehrlich zu sein: Ich mag Peter Pierson lieber. Und der ist ganz schön verknallt in dich, Kleines!“

„Pit?“, rief Susan. „Pit ist nicht in mich verknallt. Der kann mich doch gar nicht leiden! Heute Morgen hat er mich gefragt, ob ich jetzt endlich zufrieden sei, und dabei mit diesem blöden Artikel herumgewedelt.“

„Na ja, er ist eben eifersüchtig. Es stinkt ihm, dass du jetzt offiziell Julians Freundin bist.“

„Der ist nicht eifersüchtig auf mich. Der ist höchstens eifersüchtig auf Julian, weil der besser aussieht und bei Mädchen mehr ankommt! Deswegen benimmt er sich auch immer so ekelhaft Julian gegenüber!“

Olivia dachte einen Moment nach. „Ich sehe das ein bisschen anders“, sagte sie schließlich. „Aber darauf kommt es nicht an – es kommt darauf an, ob du Julian vertraust. Du musst mit ihm klarkommen, niemand sonst.“ Sie schaute Susan fragend an.

Die schluckte und sagte leise: „Ich weiß auch nicht ... ich bin ziemlich in ihn verliebt, aber ..."

„Ja?", hakte Olivia sanft nach.

„Na ja – manchmal finde ich, dass er ... ich meine ..." Susan nagte an ihrer Unterlippe. „Mama, ich versteh das eigentlich gar nicht. Ich mag Julian sehr, aber ..." Sie wusste nicht, wie sie es in Worte fassen sollte. Doch anscheinend hatte ihre Mutter verstanden und half vorsichtig nach:

„Merkst du vielleicht auch, dass er manchmal ein bisschen arg eingebildet ist? Und dass er nicht ganz so gut ist, wie er selber meint?"

„Hmm." Susan nickte mit zusammengekniffenen Lippen. „Ich finde, den Leon spielt er schon toll, aber das ist nicht so schwierig. Der Leon ist so ähnlich, wie Julian privat ist. Und wenn Henning mal verlangt, dass Leon irgendwas ganz anders machen soll als Julian, hat Julian immer ein bisschen Probleme und sieht steif aus. Wenn ich ihn mit Philip vergleiche ..."

Olivia hob die Hand und unterbrach Susan lächelnd: „Schätzchen, das ist jetzt aber ein bisschen ungerecht! Julian ist erst zwanzig, er hat vor drei Jahren ohne Ausbildung angefangen. Philip ist Mitte fünfzig und mehr als dreißig Jahre Schauspieler, ausgebildet am Max-Reinhardt-Seminar in Wien. Neben ihm sehen die meisten Jungen alt aus."

„Natürlich ..." Susan nagte schon wieder an der Unterlippe. Nein, eigentlich mochte sie es nicht, kritisch über Julian zu sprechen, aber die Fakten konnte sie nicht verleugnen. „Das Problem bei Julian ist, dass er anscheinend gar nicht einsieht, wozu eine Ausbildung gut sein könnte. Er meint sogar, ich würde mir das Talent verderben, wenn ich mich weiter von Philip verbiegen lasse."

Nun legte Olivia die Stirn in Falten. „Das ist Quatsch – Philip hat dir in den vier Wochen schon eine ganze Menge beigebracht ..."

„Wenn ich ihn nicht gehabt hätte, hätte ich nicht gewusst, wie ich die Arbeit im Studio schaffen soll. Ich wäre wahrscheinlich schon nach dem ersten Drehtag stockheiser gewesen", antwortete Susan. „Ach, Mom, wie kann man in jemanden verknallt sein, mit dem man sich eigentlich nicht besonders gut versteht?"

„Das passiert manchmal", tröstete Olivia Susan. „Meist geht es bald wieder vorbei."

„Ich glaub nicht, dass es vorbeigeht!" Susan seufzte. „Ich habe Julian wirklich lieb. Und wenn ich mit ihm alleine bin, ist er ja auch ganz zauberhaft und nett ..."

„Dann genieß es einfach, mein Schätzchen! Und diesen blöden Artikel, den vergisst du am besten ganz schnell. Je weniger du dich darüber aufregst, desto besser."

„Julian ...“ Susan räkelte sich genüsslich und ließ ihre Finger sanft über seine nackte, glatte Brust gleiten. Ach, ging es ihr gerade gut! Nach einer weiteren anstrengenden Woche im Studio hatte sie endlich frei – ein ganzes Wochenende für sich! Ein ganzes Wochenende, an dem sie in der Sonne liegen, in den Himmel träumen und das Zusammensein mit Julian genießen konnte!

Sie hatte sich so gefreut, als er sie am Donnerstagabend gefragt hatte, ob sie am Samstag mit ihm an den Starnberger See fahren würde! Seit dem Diskobesuch hatten sie sich nur einmal außerhalb des Sets gesehen – und dieses Treffen war nicht unbedingt so verlaufen, wie Susan es sich gewünscht hatte. Um genau zu sein: Eigentlich war es nicht so verlaufen, wie *Julian* es sich vorgestellt hatte. Aber dass er es so geplant hatte, hatte Susan geärgert. Wofür hielt er sie? Für jemand, den man nach ein paar Küssen, einem Diskobesuch und einer Pizza einfach abschleppen konnte? Er hatte sie beim Italiener gefragt, ob sie mit zu ihm kommen würde ... Abgesehen davon, dass Susan diesbezüglich nichts von übereilten Handlungen hielt – etwas romantischer hätte er das schon formulieren können!

Immerhin war er nicht beleidigt gewesen, als sie abgelehnt hatte. Er hatte nur gesagt: „Okay. Eilt ja nicht", und dann wieder über die Arbeit gesprochen. Manchmal war er wirklich erstaunlich! Und manchmal ... nein, Susan wollte nicht darüber nachdenken. Nicht jetzt. Es reichte, wenn Pit dauernd darauf herumritt, dass Julian wohl nicht „von zwölf bis Mittag denke". Aber nein, an Pit wollte Susan jetzt auch nicht denken. Sie lag mit Julian auf einem Bootssteg, die Sonnenstrahlen kribbelten auf ihrer nackten Haut, der neue rote Badeanzug sah einfach super aus – und Julian sah auch toll aus! Er trug eine knappe, weiße Badehose. Auf seiner Schulter glitzerten noch ein paar Wassertropfen, sein dunkles Haar lag feucht und glatt am Kopf an – und Susan spürte plötzlich das unwiderstehliche Bedürfnis, seinen Mund zu küssen. Sie beugte sich über ihn.

„Du, Julian ..."

„Hmmm?" Er hob ein Augenlid und lächelte sie an: faul, zufrieden, satt.

„Nächste Woche ist Sandra abgedreht ...", sagte Susan leise, dabei spürte sie so etwas wie Trauer. Sandra würde abgedreht sein und Susan würde wieder in die Schule zurückkehren. Sie würde sich wieder mit blöden Matheaufgaben und den langweiligen Knaben in ihrer Klasse rumärgern müssen. Das einzig Spannende außer Julian würde der Schauspielunterricht bei Philip sein – und davon würde sie erst mal auch nicht allzu viel bekommen, weil Philip und Alexa schon nächste Woche wieder mit der Probenarbeit im Theater anfangen würden. „Wirst du mich vermissen, wenn ich nicht mehr auf dem Set bin?"

„Klar.“ Julian war so entspannt, dass er fast zu faul war den Mund richtig aufzumachen.

„Und?“, fragte Susan.

„Was und?“

„Na ja, was wird aus uns, wenn ich nicht mehr im Team bin?“

„Och, wir werden uns schon hin und wieder sehen, denke ich“, murmelte Julian, kraulte ihren Nacken und zog sie etwas mehr zu sich heran. „Du fühlst dich viel zu gut an, als dass ich darauf verzichten wollte, manchmal ein bisschen mit dir zusammen zu sein …“

Susan atmete tief durch. Das war es nicht, was sie hören wollte. Sie ging ein bisschen auf Abstand.

„Julian, ich glaube nicht, dass es mir reicht, manchmal ein bisschen mit dir zusammen zu sein“, sagte sie ernst. Das bewegte ihn immerhin dazu, beide Augen zu öffnen und sie irritiert anzuschauen.

„He, Susan, warst du es nicht, die letzte Woche nicht mit zu mir kommen wollte?“, fragte er. „Hast du es dir anders überlegt?“

Susan ärgerte sich plötzlich über ihn. Wollte oder konnte er nicht verstehen, wovon sie redete? Spitzer als sie eigentlich geplant hatte, sagte sie: „Julian, darum geht es nicht. Ich will wissen, was du eigentlich in mir siehst.“

„Och, Süße!“ Julian schob eine Hand über die Augen, um sie vor der Sonne zu schützen. „Bitte keine Debatten! Davon kriege ich unter der Woche mit unserem Oberintellektuellen Pit schon genug!“

„Julian, ich möchte nicht mit dir diskutieren. Aber ich möchte wissen, ob wir was Festes miteinander haben oder ob es dir reicht, wenn wir hin und wieder mal ein bisschen rumschmusen. Mir reicht das nämlich nicht."

„Susan, was erwartest du? Dass ich dir eine romantische Liebeserklärung mache?" Julian klang ein bisschen verärgert. „Es ist, wie ich es dir gesagt habe: Ich finde dich süß. Ich bin gerne mit dir zusammen. Aber ich bin zwanzig und ich habe überhaupt noch keine Lust auf eine feste Beziehung. Wenn dir das, was wir haben, nicht reicht ..." Er ließ das Weitere offen, dafür streichelte er sanft über ihre Schulter. „He, entspann dich! Der Tag ist viel zu schön, um über so einen Mist zu reden."

„Das ist kein Mist!", fand Susan.

„Warum machst du es so kompliziert? Wir sind hier, es geht uns gut, die Sonne scheint – und das andere wird sich schon finden." Auch die Antwort gefiel Susan nicht sonderlich. Sie schaute ihm fest in die Augen.

„Julian, bist du in mich verliebt?" Die Frage hatte sie ihm seit dem ersten Kuss im Garten stellen wollen – und sich doch die ganze Zeit davor gedrückt, weil sie die Antwort fürchtete. Nun kam sie, und sie kam, wie Susan es fast erwartet hatte.

„Verliebt? Was heißt das? Dass ich dich nett finde, dass ich dich gerne anschaue, dass ich dich gerne küsse – ja, wenn du das so sehen willst, bin ich in dich verliebt. Wenn du aber meinst, dass ich vom

Heiraten, Kindermachen, Nie-mehr-allein-Aufwachen träume, wenn du das unter ‚verliebt' verstehst, dann bin ich es sicher nicht."

Susan schluckte die aufsteigenden Tränen herunter. Nein, sie würde nicht vor ihm heulen. Sie konnte genauso cool sein wie er. Sie würde ihm nicht zeigen, dass er sie verletzt hatte. Sie war ja selbst schuld, dass sie sich werweißwas eingebildet hatte. Er hatte ihr nie Hoffnungen gemacht. Wahrscheinlich hielt er sie nun sowieso für ein naives Schaf. Was war denn schon passiert, abgesehen davon, dass er sie ein paarmal geküsst hatte? Und so was spielte für ihn keine Rolle. Für ihn hätte es wahrscheinlich noch nicht einmal eine Rolle gespielt, wenn mehr passiert wäre.

Nein, sie würde ihm nicht zeigen, dass es für sie sehr viel mehr hätte sein können. Und fast war sie ihm dankbar, dass er so ehrlich gewesen war. Es war nichts passiert, er hatte Recht.

„Warum bist du so nervös?" Maskenbildner Charly legte eine Hand auf Susans Schulter und schaute ihrem Spiegelbild fest in die Augen. „Wird dein Charakter heute ersäuft oder wat is?" Susan legte das Drehbuch, nachdem sie zum hundertfünfzigsten Mal ihre Szene gelesen hatte, zur Seite und hob mit einem müden Lächeln den Kopf.

„Ne, ersäuft wird sie nicht …“, sagte sie leise.

„Dann hab ich ja Glück gehabt!“ Charly grinste. „Ein Freund von mir hat letztes Jahr die Maske bei einer Hollywoodproduktion gemacht, in der der Bösewicht ersäuft wurde. Ich sag's dir: Der war vielleicht froh, dass sein Hauptdarsteller eine Glatze hatte! Sonst hätte er ihn nach jedem Durchlauf nicht nur schminken, sondern auch noch trockenfönen müssen.“ Er hatte, während er erzählte, Susans Frisur geordnet. Nun wandte er ihr wieder den Blick zu und sah, dass seine – mittlerweile – Lieblingsschauspielerin auf dem Set sich nur ein ganz kleines Lächeln abringen konnte. „Also, ersäuft wirst du offensichtlich nicht“, stellte er fest. „Was ist es dann, was dich so nervt?“

„Ich muss küssen!“ Susan seufzte. „Sandra und Leon verabschieden sich voneinander, dabei entdecken sie, dass sie ineinander verliebt sind, und darum küssen sie sich.“

Charly brummte: „Hmm. Verstehe.“ Er nahm die Haarspange, die er sich zwischen die Lippen geklemmt hatte, und steckte Susans blonde Locken fest. „Und du findest die Idee, mit dem lieben Julian vor laufender Kamera zu knutschen, nicht so berauschend?“

„Ja“, sagte Susan leise und musste schlucken. Den Samstag am See hatte sie gut überstanden. Aber abends in ihrem Zimmer, da hatte es sie doch noch mal richtig erwischt. Sie hatte Winnie fest in den Arm genommen und dann ihren Tränen freien Lauf gelassen. Und sooft sie sich seitdem auch eingeredet hatte, dass es besser so war, dass Julian und sie sowieso nicht zusammengepasst hätten, dass sie froh sein konnte, dass es so eine kurze, bitter-süße Romanze geblieben war – es tat manchmal immer noch weh. Um ehrlich zu sein: Es tat sogar verdammt weh. So sehr, dass sie ihm jetzt immer aus dem Weg ging, um nicht daran erinnert zu werden.

Sie dachte an das, was Annkathrin einmal gesagt hatte: „Liebe ist wie Schnupfen. Wenn es dich mal erwischt hat, dann musst du halt durch. Das Einzige, was du machen kannst, ist aufpassen, dass du den Virus nicht verschleppst."

Susan hatte beschlossen, sich den Virus künftig vom Leib zu halten. Keine Küsse mehr hinter der Halle, keine heimlichen Treffen mehr in den Wartezeiten! Sie schaute einfach nicht hin, wenn Julian sie auffordernd anschaute, und wenn er sich neben sie setzte, rückte sie ein Stück weg. Offensichtlich verstand er – und dass er darauf nur mit einem Schulterzucken reagierte, verletzte Susan fast noch mehr, als wenn er etwas gesagt hätte.

Manchmal schmerzte es so, dass sie am liebsten auf dem Set geheult hätte. Aber sie beherrschte sich. Sie schluckte die Tränen und den Zorn herunter – hauptsächlich den Zorn auf sich selbst. Wie hatte sie nur so bescheuert sein können? Wie hatte sie sich nur einbilden können, dass er sie mögen würde? Er hatte eben ein bisschen mit ihr rumgespielt – so wie er mit vielen Mädchen rumspielte. Und sie konnte ihm noch nicht einmal Vorwürfe machen. Sie war ihm ja wie eine reife Zwetschge in den Schoß gefallen! Sie hatte sich ja eingebildet, er empfinde mehr für sie als für die anderen – er selbst hatte nie etwas in die Richtung gesagt!

Manchmal, wenn sie in den letzten Tagen mit verschlossener Miene darüber gegrübelt hatte, hatte sie Pits Blick bemerkt. Er schien immer in ihrer Nähe zu sein, aber er sagte kein Wort, obwohl er doch bestimmt auch mitbekommen hatte, dass sie sich neuerdings von Julian fern hielt. Was er wohl dachte?

„Der ist ganz schön in dich verknallt“, hatte ihre Mutter gesagt. Susan vertraute Olivias Urteil meistens, aber nicht in diesem Fall. Dass Pit sie manchmal so besorgt anguckte, lag allein daran, dass er in seinen Drehplan verknallt war und den unbedingt einhalten wollte. Eine heulende Susan hätte nachgeschminkt werden müssen, das hätte Zeit gekostet und Pit hasste Zeitverluste wie die Pest. Nein, nein, der interessierte sich auch nicht für sie! Der interessierte sich nur dafür, dass sie funktionierte und den großen Henning nicht in Schwierigkeiten brachte.

Überhaupt interessierte sich niemand für sie! Außer vielleicht Charly. Der war lieb und mittlerweile sogar richtig gesprächig. Sie freute sich jeden Morgen, wenn sie in die Maske kam – Charly hatte immer irgendetwas zu erzählen und brachte sie oft zum Lachen. Und seine sanften Hände in ihrem Gesicht, sein Bärenbrummen, das war angenehm.

Darum fiel es Susan jetzt auch leicht, sich ein wenig zu entspannen.

„Ich verstehe schon, dass du Julian-Liebchen nicht küssen willst", sagte Charly. Er schien immer alles zu verstehen und obwohl er selten aus seinem Kabuff herauskam, schien er auch immer alles zu wissen, was in und um die Halle herum geschah. „Es ist doof, wenn man vor der Kamera mit einem Typen rummachen soll, mit dem man eigentlich viel lieber ausführlich hinter der Kamera ..." Er streichelte mit einem Finger über Susans Wange. „Magst ein bisschen heulen, bevor ich dir die Augen anmale?"

Susan musste lachen.

„Ne, keine Angst – ich werde deine Arbeit nicht durch Tränen vernichten!"

„Es wäre schon okay, wenn du heulen wolltest. Der Bengel sieht ja wirklich verdammt gut aus und er hat Charme ..."

„Aber er scheint sich nie zu verlieben ..."

„Wahrscheinlich nicht." Charly atmete tief ein, kleckste etwas Creme auf Susans Stirn und begann, sie mit kreisenden, sanften Bewegungen zu verteilen. „Julian ist zu oberflächlich, als dass es ihn richtig erwischen könnte. Um es mal konkret zu sagen: Der Junge hat einen Tiefgang wie ein Schokoriegel! Der schwimmt sogar in Milch!"

„Dem wird es wahrscheinlich nichts ausmachen, dass wir uns küssen müssen", sagte Susan leise.

Charly nickte. „Logisch, der macht das ohne darüber nachzudenken." Nun ging er vor ihr ein bisschen in die Knie, hob ihr Kinn mit einem Finger und schaute ihr in die Augen. „Aber du wirst das auch ganz professionell machen. Du bist nämlich begabt, du hast was in der Birne und darum wirst du die Szene auch ganz locker durchstehen! Ich verlass mich auf dich – enttäusch mich bloß nicht!"

Eine halbe Stunde später stand Susan im Schatten einer der großen Hallen in der Außendekoration, die die Straße und die Eckkneipe zeigte, neben der die Fernsehfamilie Elmenhorst wohnte. Susan hatte schon einmal hier zu tun gehabt, als sie vor drei Wochen mit Julian-Leon vom Bahnhof aus „nach Hause" gekommen war. Nun würde sich Sandra verabschieden. Ihre Ferien waren ebenso zu Ende wie Susans Ferien und so wie Susan in die Schule zurückkehrte, so musste Sandra aus der Serie verschwinden. Dabei würde das passieren, worauf die Zuschauer wahrscheinlich schon wochenlang gewartet hatten: Julian-Leon würde hinter ihr herlaufen und sie mitten auf der Straße umarmen und küssen. Laut Drehbuch war es ein „langer, inniger Kuss". Susan hätte darauf verzichten können, aber bitte, wenn es denn sein musste, würde sie es eben „professionell" durchstehen. Wie hatte Philip gesagt, als sie ihm davon erzählt hatte?

„Du hast noch Glück mit deinem Partner, Julian van Eycken sieht wenigstens nicht so aus, als ob er Mundgeruch hätte! Ich habe in der Schauspielschule mal eine küssen müssen, die Pickel und ein Magenproblem hatte. Ich sag's dir: Danach graust einem vor nichts mehr!" Dann war er aber doch ernst geworden. „Susan, ich weiß, Kussszenen sind ziemlich schwer zu spielen. Man muss sich immer wieder überwinden, um vor laufender Kamera etwas so Intimes zu tun."

„Was das angeht, beneide ich dich ja fast ein bisschen", hatte Susan gesagt. „Du küsst normalerweise deine Frau vor der Kamera ..."

„Glaub nicht, dass das leichter wäre als mit einer fremden Partnerin. Im Gegenteil! Ich hasse große Liebesszenen mit Alexa – wenn ich mich dabei fallen lasse und Gefühle auslebe, fühle ich mich wie ein Exhibitionist. Wenn ich mich aber zurücknehme und mit professioneller Technik küsse, ist Alexa irritiert und beschwert sich, dass ich sie wie ein Dekorationsstück anfasse."

Susan konnte ihn verstehen. Sie hätte auch lieber einen Fremden als Julian geküsst. Selbst Pit ... nein, Pit nicht. Von allen Männern auf dem Set den am wenigsten. Dann doch lieber Julian. Und überhaupt ist es gar nicht so schlimm, Julian zu küssen – mit dem bin ich durch. Das macht mir nichts mehr aus, redete sie sich ein und schaute zu Henning Thornow hinüber, der wieder einmal seine Beleuchtung checkte. Oh Himmel, wie lange dauerte das denn heute? Susan hätte es so gerne endlich hinter sich gebracht!

Jetzt kam Pit, wie üblich eine Rolle Klebeband unter dem Arm. Er schaute besorgt in den Himmel.

„Wir müssen ein bisschen Dampf machen. Wenn die Sonne zu steil steht, ist das Licht zu hart.“ Er nahm Susan bei den Schultern und schob sie vollends auf die Straße. „Henning, ist das okay für dich?“, fragte er.

Thornow schaute durch die Kamera. „Ja, das ist nicht übel. Ein bisschen mehr links vielleicht, einen halben Schritt. Und dann zu mir drehen ...“

Pit manövrierte Susan in Position. „Julian, kommst du?“, rief er. Julian erhob sich etwas gelangweilt von der Treppe, auf der er gesessen und in seinem Drehbuch geblättert hatte. Susan hatte das Gefühl, dass seine Coolness nur gespielt war. War er etwa beleidigt, weil sie die letzten Tage so auf Abstand gegangen war? Hatte er wirklich geglaubt, sie sei so von ihm überwältigt, dass sie ewig mit sich rumspielen lassen würde? Sie wurde fast wütend auf ihn und schluckte den aufsteigenden Zorn ganz schnell runter. Das Set war ganz sicher nicht der richtige Ort, Streit anzufangen.

„Kinders, nun steht doch nicht rum wie die Ölgötzen!“ Henning Thornows Stimme tönte über das Set. „Wir proben – und ich muss euch wohl nicht erzählen, wie ihr zu küssen habt, oder?“

Susan holte tief Luft und schaute Julian an, der mit den Händen in den Hosentaschen neben ihr stand.

„Wollen wir?“, fragte sie auffordernd.

„Moment noch!“, wandte Pit ein. „Ich brauche eine Position für den lieben Julian. Nimm Susan mal in den Arm, genau so, wie du da stehst ..." Julian tat es und Susan musste wieder einmal an Philip denken: „Ganz locker bleiben!" Es war gar nicht so einfach, denn sie hatte innerlich einen Kampf auszutragen: Auf der einen Seite wollte sie sich einfach in Julians Arm sinken lassen, noch einmal seine Wärme und Nähe genießen. Und auf der anderen sagte ihr ein starker Instinkt: „Halt dich bloß von ihm fern! Er bekommt dir nicht!" Und dabei sollte sie locker bleiben? Zum Glück war da wenigstens Pit, der nun Julians Schultern nahm und das Paar etwas drehte.

„Susan, kannst du Julian mal angucken?", bat er und er klang fast so, als wollte er sich dafür entschuldigen. Aus dem Augenwinkel betrachtete Susan ihn. Er sah wirklich nett aus, wenn er so lächelte. Seine Augen –warum war ihr eigentlich nicht früher aufgefallen, wie sehr er seiner Mutter ähnelte? Er hielt den Kopf genauso wie sie, er hatte dieselbe feine Nackenlinie. Und das Kinn mit dem Grübchen, das hatte er von seinem Vater. Nein, er war nicht so hübsch wie Julian. Aber er sah nett aus, nett und zuverlässig und verständnisvoll und ehrlich und offen – und manchmal konnte er sogar sehr witzig sein ...

Himmel, das war jetzt wirklich nicht die Zeit, über Pit nachzudenken und darüber, dass er ihr in den letzten Tagen doch zunehmend sympathisch geworden war. Sie hatte sich auf ihre Arbeit zu konzentrieren, auf den Kuss, den sie Julian nun geben sollte.

Warum war ihr das plötzlich gar nicht mehr so unangenehm? Warum dachte sie plötzlich: Ist doch bloß ein Filmkuss, völlig ohne Bedeutung. War es, weil Pit gerade sagte:

„Machen wir es so undramatisch wie möglich. Julian, du musst ein bisschen mit deiner Nase aufpassen. Leg den Kopf ein wenig schräg, sonst hat Susan einen harten Schatten im Gesicht. Und du, Susan, pass auf, wenn du die Arme um seinen Hals legst. Du darfst dabei den Ellbogen nicht zu hoch halten, sonst sieht man nichts mehr von ihm." Er deutete auf die halbrunde Schiene, die gerade einer der Arbeiter heranschleppte und neben ihn legte. „Und weil wir jugendfreies Fernsehen produzieren, müsst ihr es mit dem Küssen nicht übertreiben. Wir bauen die Kamera hier auf, wo ich jetzt stehe, da hat sie euch im Profil. In dem Moment, in dem eure Lippen sich berühren, fahren wir los und drehen die Kamera langsam um euch rum, so dass wir schließlich Julian von vorne haben. Dabei wird sein Mund durch Susans Hinterkopf verdeckt, was konkret heißt: Ihr müsst nicht die ganze Zeit Mund-zu-Mund-Beatmung üben. Ihr könnt markieren."

„Können wir das mal durchspielen?" Julian ließ Susan los und strich sich die Strähne aus der Stirn, die wie immer nach vorne gefallen war.

„Klar", antwortete Pit. „Ich mache die Kamera ... Moment mal." Er drehte sich um. „Henning, wir wollen es einmal durchspielen. Kommst du her oder ...?"

„Ich gucke von hier, du machst die Vorbereitung für die Nahaufnahme“, antwortete der Regisseur. „Und pass auf die Schatten auf! Julian hat ein bisschen zu viel Nase. Ich möchte nicht, dass die über Susans ganzem Gesicht liegt. Du hast meine persönliche Erlaubnis, sie einzudellen, wenn er damit nicht vorsichtig umgeht!“

Pit lachte. „Das wird mir ein Vergnügen sein!“ Er grinste Julian an. „Also, du hast es gehört, pass auf deine Nase auf! Und ...“, seine Stimme klang plötzlich leise und ziemlich ernst, „auf deine Partnerin auch. Sonst kriegst du nämlich nicht nur die Nase von mir eingedellt!“ Er legte Susan für einen Moment die Hand auf die Schulter. „Bist du okay? Können wir loslegen?“

„Ja.“ Sie nickte und war dankbar für sein ermutigendes Lächeln.

Pit trat einen Schritt zur Seite. Mit skeptischer Miene schaute er zu, wie Julian eine Hand auf Susans Schulter platzierte.

„Sandra“, sagte Julian jetzt, dem Text aus dem Drehbuch folgend, „ich wollte dir noch was sagen.“

„Ja?“ Susan hatte ihr bestes Sandra-Gesicht aufgesetzt und lächelte zärtlich in seine dunklen Augen.

„Carina hat Recht gehabt, als sie deinetwegen so einen Zauber gemacht hat.“ Julian klang ein bisschen gelangweilt, wie meist in der Probe. „Ich bin wirklich verliebt in dich ...“ Jetzt sollte er sie laut Drehbuch küssen. Susan schloss die Augen und wartete ...

„Halt, Stopp – Mensch, Julian, du stehst da wie ein Holzklotz!“ Pit unterbrach die Szene. „Kannst du vielleicht deine Fantasie mal ein wenig anstrengen? Leon ist in Sandra verliebt, er findet sie ganz umwerfend, er ist erfüllt von Zärtlichkeit für sie, er möchte sie festhalten, streicheln, ihre Wärme spüren, er möchte wissen, ob sie ihn auch mag ...“ Pits Stimme klang jetzt fast zärtlich, wurde aber wieder fest und ärgerlich, als er weitersprach: „Kannst du dir solche Gefühle vielleicht mal vorstellen? Und könntest du dann vielleicht sogar versuchen, sie darzustellen?“

„Ja“, maulte Julian. „Ich wusste nicht, dass wir hier neuerdings bei Beleuchtungsproben schon unser ganzes Herzblut vergießen ...“

Inzwischen war Henning Thornow dazugekommen. „Jetzt hab dich nicht so! Komm, streng dich mal ein wenig an!“, sagte er.

Julian verdrehte die Augen. „Wie hätten die Herren es denn gerne?“

Thornow schaute seinen Regieassistenten an.

„Pit, das ist deine Szene! Wie hättest du es denn gerne?“

„Romantisch.“ Pit lächelte. „So, dass die Omis vor dem Fernseher das Strickzeug in den Schoß legen und erinnerungsschwer seufzen.“ Er schaute wieder Susan an. „Dein Ausdruck ist gut. Aber du könntest noch ein bisschen mehr tun. Wenn Julian sagt, dass er in dich verliebt ist, solltest du, bevor du deinen Text sagst, reagieren. Du könntest dich ein bisschen näher an ihn lehnen. Und Julian, du könntest ihre Wange streicheln ... probieren wir noch mal?"

Wieder legte Julian die Hand auf Susans Schulter, wieder lächelte sie zu ihm empor.

„Sandra ...", begann Julian. „Ich wollte dir noch was sagen."

Ganz drehbuchgerecht lächelte Susan.

„Ja?"

„Carina hat Recht gehabt ..."

„Jetzt! Streichle ihre Wange!", kommandierte Pit.

Julian hob die freie Hand und tätschelte Susans Wange.

„Nein." Pit war gar nicht zufrieden. „Das sieht aus, als ob du einen Schoßhund kraulen würdest. Geht es nicht ein bisschen zärtlicher? Komm, mach noch mal!"

Julian wirkte etwas genervt, wiederholte aber brav seinen Text: „Carina hat Recht gehabt ..." Diesmal legte er die Handinnenseite auf Susans linke Gesichtshälfte.

Susan sah aus dem Augenwinkel, wie Pit den Kopf schüttelte.

„Das kriegt die Kamera nie ..."

„Kannst du mir vielleicht mal genauer erklären, was du meinst?", fauchte Julian. „Offensichtlich hast du ja sehr konkrete Vorstellungen ..."

„Ja, die habe ich", sagte Pit energisch.

Thornow grinste. „Vielleicht musst du es Julian vormachen!"

„Warum nicht?" Pit schob Julian mit einer Schulterbewegung etwas zur Seite und stand nun selbst vor Susan.

„Oh, unser Herr Regieassistent möchte sich als Schauspieler versuchen?" Julian klang nun wirklich verärgert. Er stopfte beide Hände in die Hosentaschen und zog die Schultern hoch. „Gut, dann lass mal sehen, was du draufhast!"

Pit lächelte in Susans Augen – und die spürte plötzlich, wie in ihrem Bauch eine ganze Herde Hummeln zum ersten Frühlingsausflug ansetzte. Hatte Pit immer so blaue Augen gehabt? Und dazu diese langen Wimpern? Wie sie sich wohl anfühlten, wenn man darüber streichelte? Susan hätte es zu gerne versucht! Und seine Hand auf ihrer Schulter – nur eine zarte Berührung, dennoch schien die Wärme durch ihren Anorak hindurch bis auf die Haut zu reichen.

Und jetzt sagte er mit leiser, fast erstaunter Stimme: „Carina hat Recht gehabt ..." Er hob die freie Hand, zögerte einen Moment, dann streichelte er mit der Spitze seines Zeigefingers über ihre Wange. Susan musste die Luft anhalten. Die Berührung war federleicht, aber voller Zärtlichkeit. Sie fühlte sich so perfekt an, so lieb, so sanft! Susan hätte am liebsten die Augen geschlossen. Aber jetzt sprach Pit weiter: „... als sie deinetwegen so ein Theater gemacht hat." Er zögerte wieder einen Moment. Seine Hand legte sich um ihr Gesicht, er hob ihr Kinn. „Ich bin wirklich verliebt in dich ..."

Susan meinte, ihre Knie müssten nachgeben. Das war nicht der Regieassistent, der da den Text aufsagte, um seinem Schauspieler etwas zu erklären. Das war Pit, der zu Susan sprach! Und es war Pit, dessen warme Lippen jetzt ihren Mund berührten. Susan konnte gar nicht anders. Sie legte die Arme um seinen Hals und schmiegte sich an ihn, sie schloss die Augen und genoss den Kuss.

„Nicht schlecht!" Henning Thornows Lachen schreckte sie hoch. „Talent vererbt sich anscheinend doch – Peterchen, du solltest dir vielleicht noch mal überlegen, ob du nicht das Fach wechselst! Das war richtig gut. Und wenn Susan ihren Ausdruck beibehält, dann werden unsere Mütterlein vor der Glotze alle Maschen an ihren Socken fallen lassen vor Begeisterung."

Susan musste sich richtig zusammenreißen um ihn anzuschauen. Eigentlich wollte sie den Blick nicht von Pit nehmen, eigentlich wollte sie jetzt nicht über Schauspielerei reden, sondern viel lieber in Pits Augen schauen. Nein, ihn musste sie nicht fragen, ob er in sie verliebt war. Er war es! Sie wusste es so sicher, wie sie wusste, dass sie ... ja, in diesem Moment wusste sie es wirklich: Es war Pit! Es war schon eine ganze Weile Pit gewesen, in dessen Nähe sie sich sicher und geborgen fühlte, es war schon eine Weile Pit, dem ihre Augen folgten, wenn er energisch über das Set marschierte. Es war Pit, auf dessen Schritt sie morgens wartete, es war Pit, dessen Lachen sie fröhlich machte. Pit ... der ernsthafte, manchmal mufflige, manchmal viel zu direkte und gleichzeitig doch so einfühlsame Pit, der immer so genau wusste, was er wollte – und sie, ja sie wusste es auch. Sie wollte ihn – und schon lange nicht mehr Julian! Mit Pit konnte sie nicht nur ihre Zeit teilen, sondern auch ihre Träume. Er verstand sie und sie verstand ihn. Sie gehörten zusammen.

Susan machte es sich in der Astgabel bequem: Den Rücken leicht an den Baumstamm gelehnt, das linke Bein angezogen, das andere locker hinunterbaumelnd. Sie kreuzte die Arme und schloss die Augen, aus ihrem Walkman dröhnte lauthals: „We are the champions!" Susan hätte am liebsten mitgesungen, sie fühlte sich wirklich wie ein Champion.

Hoppla – jetzt hatte sie sich zu konzentrieren. Ein Mädchen in einem rosa Ballettanzug, aber mit dicken Gummistiefeln an den Füßen und einem bunten Sack auf dem Rücken war unter ihrem Baum aufgetaucht und schien etwas zu suchen. Susan schaltete den Walkman ab, schob den Kopfhörer in den Nacken, streckte sich, angelte nach dem dicken Tannenzapfen, der genau über ihr hing, brach ihn ab und grinste zu der Kleinen hinunter, die sich nun gebückt hatte und ihr die Kehrseite präsentierte. Zielsicher schoss Susan erst den Zapfen ab und sprang dann vom Baum. Weich in den Knien federnd landete sie neben dem Mädchen, das erschrocken „Huch!" machte und sich den Hintern rieb.

„He, Geist!", rief Susan. „Wo geht die Reise hin?"

„Über Täler und Höh'n, durch Dornen und Steine, über Gräber und Zäune, durch Flammen und Seen, wandl' ich, schlüpf' ich überall ...", erklärte die kleine Fee. Susan unterdessen lehnte sich an den Baumstamm, die Hände in den Taschen ihrer Jacke vergraben. „Ich geh, du täppischer Geselle! Der Zug der Königin kommt auf der Stelle!" Nun war die Fee fertig.

„Der König will sein Wesen nachts hier treiben. Warnt nur die Königin, entfernt zu bleiben", sagte Susan nun fast etwas gelangweilt. Dabei schaute sie über die Schulter ihrer Partnerin und sah in der offenen Seitenfront der Bühne etwas Goldenes glitzern. Ja, da stand Oberon – besser gesagt: Philip Pierson, in der Maske des Feenkönigs Oberon, sein prachtvoller goldener Brustpanzer schimmerte im Licht der Hinterbühne. Nun musste Susan die kleine Fee darüber aufklären, wen sie darstellte: Sie war Puck, der Kobold mit den vielen Namen.

„Ich schwärme nachts umher auf solche Taten. Oft lacht bei meinen Scherzen Oberon: Ich locke wiehernd mit der Stute Ton den Hengst, den Haber kitzelt in der Nase ..." Wie oft hatte sie diesen Text schon gesprochen? Hundertmal? Nein. Das reichte nicht. Sie hatte ihn alleine für sich in ihrem Zimmer gesprochen. Sie hatte ihn vor dem Spiegel gesprochen. Sie hatte ihn in Philips Studio rezitiert, wo er sie häufig unterbrochen hatte, an jedem Wort feilend. Und schließlich hatte sie ihn auf dieser Bühne wohl an die fünfzigmal aufgesagt. Fast zwei Monate lang, fast jeden Nachmittag, war sie zu Proben hier gewesen.

Und jetzt war Premiere – endlich vor Publikum, endlich in voller Dekoration und in vollem Kostüm! Es war heiß auf der Bühne, sie schwitzte und die Schminke brannte in den Augen. Aber trotzdem fühlte sie sich großartig. Die da unten, diese über das Licht hinweg kaum zu erkennenden Gesichter, das waren Menschen, die lachten, wenn sie einen Scherz machte, die ihr gespannt zuschauten, die nicht Susan sahen, sondern Puck, den frechen Kobold. Und irgendwo im Publikum saßen Maximilian und Olivia und Flups und natürlich Annkathrin und Susan war sicher: Auch die würden nicht die ganze Zeit daran denken, dass da ihre Susan auf der Bühne stand, sondern sich von Puck verzaubern lassen.

„Mach Platz nun, Elfchen, hier kömmt Oberon!“, schmetterte sie hinaus – und erinnerte sich an eine Jungenstimme, die diese Worte einmal zu ihr gesagt hatte, und wie immer, wenn sie an ihn dachte, war da dieses warme Gefühl in ihrem Bauch. Pit. Wenn er nur hier sein könnte! Aber Thornow hatte ihn für die Semesterferien engagiert und heute zu Außenaufnahmen ins Oberbayrische entführt. Susan war traurig gewesen, aber sie hatte Verständnis: Der Beruf ging vor. Und wahrscheinlich würde er ja später im

Theater sein. Und morgen und übermorgen, er würde ihren Puck oft genug sehen.

Jetzt kam Bewegung auf die Bühne: Von der linken Seite trat Oberon mit seinem Gefolge auf, von der rechten, im prachtvollen Schmuck einer goldblonden Langhaarperücke, Alexa als Feenkönigin Titania. Die kleine Fee verschwand hinter einer ihrer Gefährtinnen, Susan-Puck eilte an Oberons Seite. Da gehörte sie hin, sein Schatten, sein Kobold, sein Diener, ihm treu ergeben. Philips große Stimme ertönte grimmig: „Unheilvoll, dass wir uns im Mondschein treffen, stolze Titania!“

Das war die Stelle, an der sowohl sein wie auch ihr Gefolge einen kleinen Schritt in den Hintergrund zu tun hatte, um dort weitgehend bewegungslos stehen zu bleiben. Das Licht war nun voll auf den beiden Hauptdarstellern. Susan wusste, dass sie von unten kaum mehr gesehen wurde, und wagte, das Gewicht vom einen Bein auf das andere zu verlagern und für einen Moment zu entspannen. Puck würde gleich noch einmal gefragt sein, doch bis dahin konnte sie tief durchatmen. Dieser besondere Geruch einer Bühne, er war mit nichts vergleichbar. Natürlich, die Arbeit im Fernsehstudio hatte Spaß gemacht. Aber das hier, das war fast noch besser!

Susan schielte in Richtung des Seiteneingangs – und plötzlich hielt sie die Luft an. War das nicht ...? Doch, er war es! Hinter dem Inspizienten stand er! Das Arbeitslicht vom Computerpult beleuchtete sein

Haar, er hatte die Hände vor der Brust gefaltet und lehnte sich an einen der Stahlträger, die hinter ihm aufragten. Susan musste sich ein Lächeln verkneifen: Pit war da! Er hatte sich früher loseisen können und stand jetzt auf der Hinterbühne, er wartete auf sie und obwohl sie sein Gesicht nicht erkennen konnte, war sie sicher, dass er lächelte – dieses ganz besondere, liebevolle Pit-Lächeln, bei dem ihr jedes Mal die Brust eng wurde.

Pit – für eine Sekunde schloss sie die Augen und freute sich, dass er da war. Eigentlich war er doch immer da, oder? Natürlich, unter der Woche sah sie ihn nicht so oft, wie sie sich wünschte. Sie musste in die Schule, er an die Akademie. Aber oft genug, wenn sie mittags zum Fahrradständer kam, saß er mit gekreuzten Beinen auf dem Mülleimer neben ihrem Rad und empfing sie mit einem Grinsen und einem Filmzitat. Manchmal spielte er Humphrey Bogart, einen Hut tief in die Stirn gezogen, eine Zigarette im Mundwinkel: „Ich seh dir in die Augen, Kleines!“

Und manchmal riss er sie in die Arme wie Rhett Butler seine Scarlett, wirbelte sie herum und küsste sie.

Manchmal kam Flups dazu und gab einen seiner Kommentare ab.

Aber Susan störte sich nicht daran. Sie freute sich einfach, ihren Pit zu sehen. Und er war ihr Pit – er sagte es ihr mindestens einmal am Tag, er zeigte es ihr in jeder nur denkbaren Art.

Am meisten war er ihr Pit, wenn er mit ihr auf dem

Bänkchen unter dem Birnbaum saß und träumte, wenn er ihr ausmalte, wie es sein würde, wenn sie erst mit der Schule und dem Schauspielstudium fertig war und sie miteinander Filme und Theater machen würden.

„Du bist eine tolle Schauspielerin und du bist mein großer Star. Wir werden zusammen arbeiten, wir werden zusammenbleiben und irgendwann ganz groß rauskommen ...", sagte er dann.

Ja, sie war sein Star. Aber mehr als alles war sie Susan, seine Freundin, die inzwischen manchmal über die Schlagzeile lachen musste, die sie einst so geärgert hatte. „Das Mädchen, das Millionen beneiden." Der Reporter hatte doch Recht gehabt. Susan spürte es mit jedem Tag: Sie hatte die ersten Schritte in einem großartigen Beruf erfolgreich hinter sich gebracht, darum konnte man sie beneiden. Aber mindestens genauso sehr darum, einen Pit in ihrem Leben zu haben.

TRAUMJOBS

Tina Caspari
Nella, 16
Schauspielerin

Angela Schützler
Kim, 16
Sängerin

Ulrich Hoffmann
Iris, 15
Model

Sibylle Luise Binder
Susan, 16
Fernsehstar

Manfred Meding
Hanna, 15
Webdesignerin